Een blauwe vlinder zegt gedag

Sophie van der Stap

Een blauwe vlinder zegt gedag

2008 Prometheus Amsterdam

Voor Chantal
10 november 1971 - 12 april 2007

Omslagontwerp Marieke Oele, Almere
Foto omslag Brunostock
Foto auteur Bob Bronshoff
Tekening droomboom Johannes Gligoris
www.johannes-gligoris.de
www.uitgeverijprometheus.nl
ISBN 978 90 446 1131 1

There is an old belief,
That on some solemn shore,
Beyond the sphere of grief
Dear friends shall meet once more.
Beyond the sphere of Time and Sin
And Fate's control,
Serene in changeless prime
Of body and of soul.
That creed I fain would keep
That hope I'll ne'er forgo,
Eternal be the sleep,
If not to waken so.

J.G. LOCKHART (1794-1854)

•

That Love is all there is, is all we know of Love...

EMILY DICKINSON

27 maart 2007. Slechts een datum, maar ook zoveel meer dan dat. Die dag reed ik weg van huis. De opeenvolging van pijnlijke herinneringen ging te snel om van me af te schudden. Zelfs niet voor een dag, een minuut, of een moment. Ik reed met een omweg door Duitsland naar Spanje, maar algauw bleek Spanje niet groot en ver genoeg. De kilometers gingen hard, bijna net zo hard als mijn gedachten. Mijn hoofd stond bol van de woorden, de spiegels vol van de vrachtwagens, maar de weg voor mij was leeg. Blank. En vooral: vrij.

240.638, las ik op de display. Slechts de laatste 638 kilometers waren van mij. Ik reed weg van Amsterdam, van alles wat mijn leven beheerste en bepaalde, op weg naar een nieuwe, lege dag, die, in gedachten, alleen ingevuld kon worden in Spanje. Maar helaas kun je eenzaamheid niet vullen, daar ben ik inmiddels wel achter. Het was de eenzaamheid die mij vulde.

Het leven bepaalde meer voor mij dan ik voor mijn leven. De rollenwisseling die hieraan vooraf was gegaan heb ik machteloos moeten toestaan, steeds verder weg rakend van mijn eigen speelterrein, de zijlijn op. Misschien dat het wel altijd zo geweest is. Misschien dat het gewoon zo is. Misschien dat mijn geloof in maakbaarheid meer weg heeft van dromen dan van wakker zijn. Dat weet ik niet. Hoe het ook zij, mijn ongeloof in grenzen knaagde als een bezetene aan mijn geloof in mogelijkheden. De acceptatie dat het leven van meer toevalligheden en omstandigheden aan elkaar hangt dan ik me ooit heb voorgenomen te accepteren, kroop grillig als een naaktslak bij me naar binnen. Het was oorlog binnen mijn eigen filosofie en het geschil had ik zelf op te lossen.

Enerzijds volgde ik de paden van een droom, anderzijds vertrok ik uit een eerdere droom, die ik los moest zien te vlechten van mijn toekomst. Met het afsterven van Chantal en het inkrimpen van mijn hart, raakte ik meer en meer verstikt in de leegte, die als een koude deken om me heen was geslagen.

De werkelijkheid verschuift en verwachtingen schuiven mee. Ze passen zich stilletjes aan de nieuwe straatstenen aan, die ik twee jaar geleden op een winderige ochtend in januari voor het eerst bewandelde. Vanaf die ochtend was alles anders. Het is moeilijk te bevatten wat er met je gebeurt als op jonge leeftijd de weg vooruit ophoudt te bestaan. Je kunt niet meer dromen en je durft niet meer te dromen zonder de pijn te voelen van de eenzaamheid die niet in te vullen blijkt. Je bent ziek en gaat misschien hetzelfde jaar nog dood. De werkzaamheden langs de weg liggen plotseling stil.

Tot deze tijdelijke adempauze had ik nooit kunnen bedenken dat ik ooit nog het leven zou leiden dat ik vandaag de dag leef, door op een middag niet alleen mezelf in de spiegel terug te zien, maar ook mijn eigen sterfelijkheid. Ik wist toen nog niet dat die ongewenste gast naast mij in de spiegel mijn spiegelbeeld beter vormgaf dan iedere andere spiegel ooit had gedaan. Ik wist ook nog niet dat in dat spiegelbeeld een schrijver verborgen lag of een vrouw die tot leven komt in de armen van een tangodanser. Als je maar lang genoeg kijkt, breekt er altijd wel iets. Een stukje onbevangenheid, of misschien een ander stukje romantiek.

Sinds die ene dag in januari, toen ik de dood de hand schudde, is mijn leven een aaneenschakeling van momenten geworden. Ik reis van moment naar moment, zonder me ergens te vestigen. Het fenomeen tijd ziet er heel anders uit als voorheen, toen ik nog langetermijnplannen had. Tijd is geen bron meer, zo diep dat de bodem verder weg is dan je zicht reikt. Een bodem zo peilloos dat zelfs de zon zijn laagste punt niet bereiken kan. Het is slechts nog een plasje, dat met iedere zonnestraal kleiner wordt.

Ik moest me niet alleen zien los te maken van de toekomst, maar ook van het verleden, waar mijn dromen zo opgevoerd waren. Pas toen ik alles losliet, lukte het me me vast te grijpen aan hetgeen wat me te doen stond: overleven. Ik putte geluk uit wat ik had en berusting uit wat ik niet had. En berusting leidt tot nieuwe dromen en deuren.

Die spiegel voelde leeg aan, zo zonder de jongemeisjesdromen van gisteren en de weloverwogen plannen van morgen die in alles wat ik deed als hete wax aan me kleefden, maar gek genoeg ook heel bevrijdend. Zonder verwachtingen is alles makkelijker, en zelfs leuker. Mijn dromen bleken veel dichter bij huis te liggen dan ik ooit had gedacht. De paradox in dezen is dat het niets van de dood me heel dicht bij de bron van het leven heeft gebracht. Van geboren worden in een maas van etiketten en stickers, tot mens worden zoals ik denk dat de mens bedoeld is te zijn, universeel en ongebonden.

Die dag in maart, de 27ste, toen de aprilwind al in mijn rug duwde om mij vooruit te waaien, bevond ik mezelf op een splitsing tussen twee werelden. Links van me lag de wereld die wordt bepaald door ons bestaan, rechts van me de wereld die bepaald wordt door onze dood. Ik sta er nog steeds tussenin, springend van de ene bol naar de andere, heen en weer, mijn definitie van tijd en leven bijstellend, in de altijd aanwezige en pijnlijke ironie van het leven, namelijk dat we pas weten wat leven is als we een stukje ervan verloren hebben. Zoals een dierbare die een deel van onszelf meeneemt naar die andere wereld waartoe wij nog geen geldige toegangsbewijzen hebben. Of zelf vooraan in het klaslokaal, waar de beste leerlingen zitten te wachten om dood te gaan. Daar in die kamer leren we te leven, en pas als we weten hoe dat moet, kunnen we alles loslaten wat nodig is om uiteindelijk in ons eentje te sterven.

Mijn leven is honderdtachtig graden gedraaid. Het lijkt geenszins meer op het leven dat ik twee jaar geleden, in alle tevredenheid, leidde. Daarvoor is er te veel gebeurd en zijn de herinneringen aan dat gebeurde met te veel; ze nemen al het andere dat in mijn hoofd rondcirkelt over. Ze staan als een muur tussen mij en mijn leven van toen in. Zelfs tussen mij en de altijd wakker wordende straat onder me. De vuilnismannen die nooit hun vaste werktijden overslaan, de ramenlappers aan de overkant, de bakker schuin aan de overkant, iedere ochtend steevast vanaf zes uur geopend. Ik voel me geïsoleerd, los van deze banaliteiten die ik dagelijks vanachter het raam, op afstand, zie voltrekken.

Terugkijkend op die dag weet ik nu, na alle afslagen geprobeerd te hebben, dat ik eigenlijk maar één kant op kan. Ik kan niet terug naar het leven dat ik mijn leven lang vorm heb gegeven, en je eraan vastklampen maakt loslaten alleen maar moeilijker. Ik kan alleen maar vooruit. Ik moet door, een nieuwe weg in, eentje waarvan de wegrestaurants nog onvervuild zijn en de stations leeg. Ik heb er machteloos tegen gevochten in een poging vast te houden aan alles wat ik gewend was, zonder een stap verder te komen. Al dat stilstaan wijst één kant op: rechtsaf. Ofwel meedeinen op de golven van verandering in een poging me die verandering eigen te maken. Achteruit of vooruit.

Ik keek naar de lege weg voor me en drukte het gaspedaal nog wat steviger in. *It was a wide open road.*

Volgens de TomTom had ik nog 264 kilometer te gaan. Mijn eerste bestemming was Heidelberg, want daar lag een stervende Chantal, en mensen die doodgaan staan nou eenmaal boven aan de lijst. Helemaal als ze Chantal Smithuis heten. Het was halfacht in de avond toen ik de buitengemeente van Heidelberg bereikte. Gelukkig wist de TomTom precies waar ik naartoe moest, want ik wist het niet. Na heel veel bochten links en een paar bochten rechts verschenen aan mijn rechterhand de woorden KRANKENHAUS ST. VINCENTIUS. De witte neonletters hingen boven aan de gevel van een bijzonder mooi pand – wel of geen ziekenhuis. Zonder dat ik het wist keek ik naar de ramen die mijn vriendin van haar schitterende uitzicht over de rivier voorzagen. En zou ik tien minuten later met al mijn zintuigen ervaren dat zij, meer dan wie van ons ook, genoot van de kleuren groen en roze van de paar huizen aan de overkant, van de rode strepen op haar laken, van de boterhammen kaas en, bovenal, van het tijdstip zes uur, want dan was het tijd voor een warm bad met rozenblaadjes, het hoogtepunt van haar dag. Ze was van haar tenen tot haar borst verlamd. Ze was kaal en onherkenbaar van de medicijnen die haar 24/7 ingespoten werden. Ze was gevangen in een lijf dat niet meer van haar was.

Terwijl de lucht van grijs naar blauw naar roze ging dacht

ik terug aan onze vriendschap. Het was er een van weinig dagen, maar van veel momenten. Momenten van dingen die we al hadden gedaan en momenten van dingen die we nog zouden doen. Onze eerste ontmoeting, die mij kippenvel had bezorgd, anderhalf jaar geleden; drie uur die als drie minuten voorbijgingen. We deelden een wereld met elkaar die niemand anders met ons kon delen. Of we nou schelpen kochten op de Albert Cuyp of samen op ziekenhuisbezoek gingen voor het volgende nieuws dat ons leven zou bepalen, leven dat in haar geval stil is komen te staan.

Wij wisten hoe het voelde om als jonge vrouw een kankerpatiënt te zijn. Om samen op een leeg perron te staan, omdat we als enigen de trein hadden gemist. Daar stonden we stil in een leven dat 24 uur per dag aan ons voorbij raasde. Wachtend op de trein, bladerend door een magazine met gefotoshopte witte tanden op de voorkant, ontdekten wij de wereld van de dood, terwijl iedereen om ons heen bezig was het leven te ontdekken. Toch ging dat leven voor ons door, we moesten wel. Er was alleen een gat gegroeid op de plek waar onze dromen nog niet zo lang geleden onze koers bepaalden. Bij het volgende nieuws bleef zij alleen achter. Ik haalde de trein, op het nippertje, maar Chantal had hem weer gemist; Chantal was degene die op een leeg perron achterbleef.

De Land Rover schuurde voorzichtig, in de eerste versnelling, langs de ingang van de parkeergarage. Een immens gepiep. Ik mag me op de Duitse *Autobahn* dan wel een kleine Schumacher voelen, in de Duitse garage ben ik niet meer dan een vrouw achter het stuur. Opgelucht schoof ik de Land Rover in een van de lege vakken, speciaal makkelijk aangelegd voor vrouwen in deze vrouwvriendelijke – of vrouwonvriendelijke, het is maar net van welk feministisch standpunt je het bekijkt – garage, en luisterde ik naar zijn laatste zucht. De eerste dag van weg zijn zat er bijna op. En de eerste is altijd de moeilijkste.

*

Het moet net na achten zijn geweest toen ik de garage achter me liet en erachter kwam dat ik al langs het lijf van mijn vriendin was gereden. Ik schrijf 'lijf', want hoeveel van de Chantal die ik kende lag er nog boven te slapen? Hoe hecht waren we nog verbonden? Hoe dieper Chantal viel, in de donkere diepe put die dood heet, hoe verder ik me van haar verwijderd voelde. Ik was immers aan het klimmen richting Everest. Toch was het niet zozeer die afstand die ons scheidde; het was het steeds verwoedere gissen naar onze levens, naar onze momenten die gelden. Chantal zat vooraan in het klaslokaal en was hard op weg een tien te halen voor haar laatste examen. Gadverdamme, kanker, daar was je weer.

'Chan?' fluisterde ik zachtjes, vanachter een kier van de deur.

'Sophietje!' riep ze terug.

'Hè schat, hier lig je dan.'

'Ja, hier lig ik dan. Was het druk op de weg?' Dat was Chan: zich altijd bekommerend om de ander.

Ik praatte tegen Chantal, maar ik keek naar een lichaam dat ik nooit eerder had gezien. Het was het lichaam van ons allemaal op het moment dat de dood ons nader staat dan het leven zelf, en ons misschien daarom wel meer rust geeft dan het leven nog te bieden heeft. Haar kleur was blanker dan anders, de blauwe aders trokken een doods spoor over haar armen en benen, en lieten een doffe, harde huid achter, eindigend in een schilderij van blauwe plekken. Alsof het de aders zelf waren die het leven uit haar meevoeren naar een andere wereld. *Griezelig hè, dat ik daar straks tussen lig.* Haar woorden van nog minder dan een jaar geleden, uitgesproken toen we langs het mortuarium in het Antoni van Leeuwenhoekziekenhuis liepen, schoten als een mantra door mijn hoofd. Daar lag ze dan, op het voorbereidend matras.

Met iemand op een sterfbed hoef je niet in details te treden om dingen toonbaar te maken zoals ze zijn. Zij weet als geen ander hoe dingen zijn, misschien dat dat heldere bewustzijn zelfs nu een cadeau genoemd mag worden. Elk woord – en het zijn er niet bijzonder weinig, maar ook zeker niet veel – is uitgedacht, gewogen en gemeend. Ik weet niet waarom maar deze helderheid deed me denken aan een stille zee, spelend met haar zachte golfjes over het land; zo helder, zo rustig en ergens, diep onder de oppervlakte, zo tevreden.

Ze bekommerde zich om mijn nachtrust, de honger in mijn maag en de leegte in mijn overvolle hart. Ze vertelde me dat ik altijd mijn hart moet volgen, te allen tijde een riem moet dragen, maar dan wel een passende, eentje in de kleur van mijn schoenen, en me na het poepen af moet vegen met vochtige toiletdoekjes. Nog nooit zijn woorden zo raak aangekomen. Ze overtroffen alle duizend hoogtepunten van Amerikaanse cinema in een seconde.

De eerste ochtend in het kleurrijke Heidelberg ging ik op zoek naar een riem en passeerde ik een onopvallend winkeltje volgeladen met Chinese etenswaren. De verkoopster was net bezig een klant met kinderwagen de deur uit te helpen toen ik naar binnen wilde. Eenmaal binnen zag ik niets wat mijn fantasie prikkelde, maar misschien dat mijn fantasie er tijdelijk niet was om geprikkeld te worden. Bij het afrekenen stak ze me vanachter de toonbank een fortunecookie toe. Spreuken en wijsheden. Welkome onderbrekingen van een doodlopend gesprek, maar ongewenste spanningsbogen in dagen waarop emotie het wint van ratio. Geen behoefte aan nog meer gedachten, stak ik het zilverkleurige papier ongeopend naast de fles water in mijn mand en wandelde ik verder het stadje in. Bij iedere pas dacht ik aan Chantal, die de dag ervoor nog grapte dat ze 's ochtends vroeg al om halfvijf naast haar bed stond omdat ze zo weinig uren sliep.

'Nou ja, bij wijze van spreken dan,' voegde ze er na een korte stilte aan toe. Staan, zitten of bewegen deed ze al drie weken niet meer. Laat staan voelen. Nee, ze lag als een pasgeborene in bed, met het grote verschil dat ze het verstand had van een vrouw van vijfendertig en waarschijnlijk nog heel wat jaren meer.

'Ik ben weer net een baby. Ik poep in een luier, word gevoerd en gewassen. Verschrikkelijk. En dat terwijl ik tot op het neurotische af gewend ben altijd alles zelf te regelen.'

Terug bij mama, zo noemde ze het ook wel. En uit die woorden klonk alleen maar liefde. Zelfs geluk. Dat leer je als je doodgaat: liefhebben, in de meest zuivere vorm. Je leert het onbelangrijke aan te wijzen en je op het essentiële te concentreren. Niet uit leergierigheid, maar uit noodzaak om te overleven. Je selecteert, iedere dag een beetje meer, totdat er nog maar vier mensen om je bed staan. Maar voor Chantal was de weg nog langer. Zij moest niet alleen selecteren, maar ook loslaten en onthechten. Waar eerst nog sprake was van overleven, was nu sprake van overgeven aan. Ze moest zich losmaken van dat wat en van de persoon die ze het meest nodig had om te overleven: haar hoop en haar moeder.

Huilen en klagen deed ze niet. Niet in mijn bijzijn. Maar toen ze vertelde over het samenzijn met haar moeder, zoals het de laatste maanden iedere dag is geweest, gleden de tranen al op het kussen voordat zij of ik er erg in had. Tranen van liefde, verdriet en geluk als ze aan haar moeder dacht. Die liefde beleefde ze evengoed als ze alleen was. Misschien zelfs nog wel intenser. Net zoals haar moeder haar verdriet beter wist te verwerken als ze alleen was dan in gezelschap met dierbaren.

Dat ik, en niet een van haar hartsvriendinnen in deze intieme minuten aan haar bed stond, is een gegeven waarvan wij allebei het waarom heel goed voelden, maar niet begrepen. Was het omdat we vanuit de veilige afstand van onze relatie, waarin de waarheid minder hard aankomt, heel dicht tot elkaar konden komen? Iemand aan wie ze alles kon vertellen, al haar angsten, al haar pijn – zonder de pijn te moeten voelen van de ander? Was het omdat ze zich in deze situatie liever wendde tot iemand die deze kant van haar verhaal kon begrijpen? Dan wel steeds meer als toeschouwer dan als verwante? Was het omdat ik haar hoop was op een ander leven, eentje op papier?

Het was het allemaal, en het was allemaal even belangrijk, maar toch was het ook een ongemakkelijke rol om te vervullen. Gelukkig nam dat ongemak met het moment af. En momenten zijn er heel veel als de dagen geteld zijn. Soms waren het lange minuten, waarin we ons stilzwijgend bewust waren van de bijna schreeuwende intimiteit. Nu eens waren het grappen, dan weer terugkerende vragen die over en weer gesteld werden. Een enkele keer ging het over iets anders, en kwamen we zelfs toe aan een geanimeerd gesprek tijdens de lunch. Maar dat was maar heel even. Je kunt een zeurend hart wel eventjes negeren, maar nooit uitzetten. En zeuren, dat deed het. Van ons allebei.

Toen ik die namiddag terugliep naar het hotel, op 300 meter afstand van Chantal, kwam ik langs een afhaalthai; de heerlijke geuren van kokosmelk en groene curry kropen door mijn neus naar binnen. Binnen stond een man te bellen, net iets te hard, maar wel met een stem waar ik verrassend vrolijk van werd. Hij las een telefoonnummer op van een kaartje dat hij in zijn hand hield. Ik kon het niet laten en haakte met een paar verzonnen getallen in.

'*Fast gut*,' zei hij toen hij ophing, en hij lachte. Zijn lach stak de mijne aan. Goh, ik wist tot dat moment niet dat er in Duitsland zo te lachen viel. Zijn telefoon ging opnieuw.

'Ja, hallo. George Michael hier.' Weer maakte hij me aan het lachen. Ik begon me zelfs al te verheugen op het volgende dat hij ging zeggen. De verkoopster pakte zijn curry's samen met mijn soep in.

'*Zusammen, nicht?*'

'*Noch nicht*,' antwoordde hij, '*aber vielleicht heute abend*.' Ja hoor, hij raakte 'm weer.

Terug in het hotel werd ik gepest door steken die als honderden kleine naalden in het binnenste van mijn lijf prikten. Steken die me herinnerden aan mijn eigen ziekenhuisverleden, maar vooral aan mijn verbintenis met het lichaam dat een paar honderd meter verderop in hoog tempo lag af te sterven, van beneden tot boven – geen gevoel, geen beweging, niks. Dood, tot aan haar tepels aan toe.

Ik at die avond voor de tweede keer achter elkaar alleen, aan dezelfde tafel waar ik de ochtend ervoor mijn eerste Duitse hap had weggeslikt en die ochtend mijn eerste zwarte koffie had gedronken. Het beetje gewenning dat deze herhaling met zich meebracht, kwam me als een korte, maar warme luchtstroom tegemoet. Ik had het tafeltje uitgekozen op de muur waar het tegenaan stond: een muur om tegenaan te leunen. Ik zocht in mijn tas naar een pen en een boek toen mijn oog viel op het fortunecookie dat me een dag eerder was toegestoken. Voorzichtig haalde ik het uit het zilverkleurige papier. Zorgvuldig en met volle concentratie brak ik het zoete deeg open. *Our destiny is to merge with infinity*. Hoe toepasselijk. Met die woorden viel ik vlak na negenen al in slaap. Het was de drukte van emoties die me tien uur lang deed wegzinken in een droomloze slaap.

Chantal was al die tijd dat we met elkaar omgingen een harde. Ze was hard genoeg om met haar vonnis om te gaan. Haar stewardessenpakje werd omgeruild voor een werklozenuitkering. Haar vriendjes werden minder en bleven uiteindelijk zelfs helemaal weg. Dat was hun niet te verwijten, het was gewoon zoals het ging. Haar blonde dikke haren groeiden terug in een kort en donker kapsel. Haar brede schouders, haar prachtige volle borsten, haar taille en heupen zoals je ze met de kwast van een zacht penseel zou uittekenen. Haar altijd verzorgde rode teennagels. Die *million dollar smile* die niemand onopgemerkt liet. Ze zag het allemaal vanachter haar raampje in de sneltrein glashard veranderen. Haar ziekte sloot zich met al zijn lelijkheid om haar heen. Het vocht in haar buik, de verslapping van haar spieren, en uiteindelijk het vocht in haar wangen, wat haar nog het meest distantieerde van de prachtige vrouw die ze was geweest. Die eenzaamheid heeft ook zij nooit kunnen omzeilen. Misschien voelde ze die nog het meest als ze dacht aan het witte paard dat niet meer langs zou komen galopperen. Chantal wist dat ze dood zou gaan, zonder haar jawoord gegeven te hebben, zonder kinderen op de wereld te hebben gezet, zonder weggegaloppeerd te zijn, het huwelijk in.

31 maart 2007. Als ik bij de garage aankom, is het daar stil en verlaten. Dat scheelt weer met uitparkeren. Ik voel me veilig en thuis in de Land Rover, met al mijn spullen op de achterbank, die inmiddels dienstdoet als geïmproviseerde waslijn. De onrust van het weggaan heeft plaatsgemaakt voor de rust van het weg-zijn. Het is alweer vijf dagen geleden dat ik van huis ben vertrokken en een enorme prullenbak op de parkeerplaats van de Halfords heb geramd; heel snel doorrijden leek me op dat moment, met al twee bekeuringen op zak, het beste wat ik kon doen. Ik zei het al: vrouwen achter... En vijf dagen zijn verstreken als ik wegrijd van Chantal en mijn gedachten met het landschap meeverschuiven. De TomTom leidt me nog een keer langs Chantal alvorens ik de snelweg richting Frankrijk op rijd. Bestemming: St. Jean des Vignes, 15 kilometer ten noorden van Lyon. Een *chambre d'hôte* met maar één kamer, één heuvel, één boom, één kerk en één Franse landweg; eenvoud, het enige waar ik nu naar verlang.

Ik denk aan Chantal, van wie ik vanmorgen afscheid heb genomen, en die daarom eigenlijk al een beetje gestorven is voor mij. Schijndood heet dat, geloof ik. En ik denk aan Timo, de man van wie ik hou, maar voor wie liefde niet voldoende lijkt te zijn.

In *De heks van Portobello* schrijft Paulo Coelho dat mensen die hun eigen wereldje verlaten de neiging hebben avontuurlijker te worden, daardoor minder geremd zijn en hun vooroordelen gemakkelijker laten varen. Lekker hippie en ik hou wel van lekker hippie, maar ik begin me af te vragen of een setje vooroordelen en uitgewoonde normen het leven niet veel gemakkelijker zou maken. Om te beginnen met de norm dat je van getrouwde mannen, die per ongeluk nog een vrouw in de logeerkamer hebben liggen, af moet blijven. Ik vraag me ook af waar het vandaan komt, al die exotische dromen en onmogelijke verliefdheden van mij, terwijl ik eigenlijk gewoon net als ieder ander meisje naar een vriendje op de bank verlang.

Timo en ik hebben elkaar zeven maanden geleden, die aanvoelen als zeven jaar, ontmoet. Verontrustend wat tijd soms met je doet. Na negen jaar overwegend pizzaromantiek met her en der een goede dagschotel, schipperde ik tussen verrassingen en teleurstellingen, met één ding gemeen: beide duurden ze nooit lang. Bij elkaar opgeteld werd dat een rommelige zooi van verliefdheden, die mij niet snel genoeg met de ware kus schoongeveegd kon worden.

Die kus kwam met Timo. In een sms'je. Of een van de negen meisjes vrij was om bij hem op kantoor langs te komen. Verder niets. Ik begreep er weinig van, maar dat heeft me niet weerhouden zijn deur te openen. Bovendien vond ik het een heerlijk begin van iets wat ik later tot kaviaarromantiek zou dopen. Ik heb de souvenir nog liggen. Een klein blauw blikje met een visje en een Farsi tekst erop, waar sommige mensen heel veel geld voor betalen. Ik hou persoonlijk meer van mossels. Maar goed, het werd kaviaar. De romantiek onder de romantiek, zeg maar.

Ik besloot dus naar dat kantoor van hem te gaan, waardoor ik voor het eerst op het pontje stond dat vlak bij de graansilo vertrekt, richting Distelweg in regio Noord. Sinds een aantal jaren geen deel meer van het buitenland, maar ik voel me er nog altijd een beetje op vakantie. Net als op de snelweg in Duitsland verlies ik in Noord ook al snel mijn gevoel voor oriëntatie. Of ik al bewoog, kreeg ik toegestuurd op het pontje. Ik dacht er nog aan hem iets brutaals terug te sturen maar bedacht me nog net op tijd, gezien ik niet wist wat ik zou aantreffen: een midlifecrisis of een rockstar. Of allebei.

Ik belde aan, of de deur stond beneden open – ik weet het niet meer. Ik denk toch het eerste, want ik wist nog nauwelijks hoe zijn kantoor heette en wat ze daar allemaal uitvogelden. Ontwerpen, bleek. Overal hingen tekeningen van gebouwen en grote constructies. Ook stond er een maquette en lag er midden in de ruimte een roeiboot met wat spullen erin. Ik zei al: het was een ontwerpersruimte die ik binnenliep. Er liepen en zaten ook behoorlijk wat ontwerpers. Ik denk een stuk of vijftien. Die keken allemaal op, zoals mensen gewoon zijn te doen als er een nieuw poppetje binnen komt lopen. Een vriendelijke en wat mollige vrouw, die de secretaresse bleek te zijn, richtte haar hoofd op.

'Goedemorgen, ben jij Sophie?'

'Ja.'

'Heb je het makkelijk kunnen vinden?'

'Ja hoor.' Ik loog, maar verdwalen in Amsterdam-Noord vond ik niet passen bij een vrouw van de wereld. En ik doe mezelf graag voor als vrouw van de wereld.

'Mooi, Timo wacht al op je.'

Ze verwees me door naar het achterste stuk van de ruimte. Of het voorste stuk, het is maar hoe je het bekijkt. Ik scande de ruimte en zoemde in zover ik kon kijken. Het keek uit over het IJ, met een waanzinnig uitzicht voor iemand die voor het eerst met het graansilopontje naar de overkant gaat. Uiteindelijk bleef mijn blik ergens hangen tussen een corduroy pak en geveterde laarzen in; de man in kwestie.

Het type trok me enorm aan. Het type rockstar. Zeg maar.

Zijn haar hing in slordige lange plukken naar beneden. Dat was het eerste wat ik zag. In plaats van te letten op hoe een man zijn haar geknipt is, wordt er veel te veel gelet op de ogen, de lengte, de kleding, de schoenen. Allemaal ook enorm belangrijk, maar dat haar, daar gaat het om. Het haar van Timo is ergens tussen blond en grijs in. Dat vind ik zoiets ontzettend moois: zo'n gelaagd kapsel van meerdere kleuren blond en grijs, dat er in ieder licht weer anders bij staat. Maar als ik er nu op terugkijk, had ik misschien toch wat langer naar zijn ogen moeten kijken. Daar lag toen al die verpletterende twijfel in verborgen.

Nou ja, ik liep dus op hem af en ik kan wel zeggen dat hij straalde. Hij lachte in ieder geval breeduit. Ik ook trouwens. Het was namelijk nog wel een lollige en spannende situatie. Dat hij gecharmeerd van me was, begreep ik toen al wel, maar dat zegt me weinig. Mannen zijn dat snel van een jong grietje dat een boek heeft geschreven.

En het was ook nog een leuk gesprek, vooral omdat het heel weinig over zakendoen ging. Hij stipte het zakendoen wel even aan, maar het was al vrij snel duidelijk dat ik daar niet om mijn zakelijke capaciteiten zat. Heel verstandig van hem trouwens. Toch werd alles wat we bespraken ingekleed in een zakelijk jasje; er moest duidelijk een motivatie ten grondslag liggen aan het feit dat we in zijn kantoor zonder secretaressepakje aan aan het sjansen waren.

Toen ik twee uur later weer wegging, was ik meer dan blij. Dat viel me op, want ik was die ochtend helemaal niet zo blij wakker geworden. Dat heb ik wel eens, zonder dat ik kan aanwijzen waarom – heel irritant. Maar goed, dat was vandaag in ieder geval opgelost. En de volgende ochtenden ook, bleek toen ik die avond een sms'je kreeg:

Leuker dan verwacht

Ja, dat was het zeker. Vooral omdat ik met nul verwachting binnen was komen lopen.

Ik zal niet zeggen dat ik op slag verliefd was, maar ik was wel op slag verkocht. Of slaat dat als kut op peren? Ik bedoel, ik zag het wel zitten om die wat versleten rockstar beter te leren kennen. En dat ik heel hard lief wilde hebben wist ik al voordat we elkaar de hand schudden. Het kwam dus goed uit, dat sms'je. Inbox. Bericht maken.

Spannender dan gedacht

Verzenden. Ik hoopte in zijn armen terug te vinden wat ik onderweg in het ziekenhuis was kwijtgeraakt: mijn dromen. Vanaf de eerste dag dat ik Timo ontmoette heb ik ze allemaal om hem heen gevlochten zonder te willen inzien dat hij dat sprookje nog maar net aan iemand anders had gegeven die nog lang niet vertrokken was. Een thuis, de kinderen – het hele rijtje, tot de boom in de achtertuin aan toe.

Waren de schoenen te doen?

Hij had duidelijk zijn huiswerk gedaan. Voetnoot: lees pagina 12 van *Meisje met negen pruiken*.

Te doen

We werden verliefd. Jong verliefd. Ontzettend verliefd. Mooi verliefd. Onzinnig verliefd. Dat hij bij mij in een klein flatje in de Jordaan, dat bij een drieëntwintigjarige hoort, wakker werd, en ik bij hem in een paleis in Noord-Holland, onderstreepte iedere ochtend weer de scheidslijn die tussen onze werelden bestond, maar die we allebei wegwuifden met het leuke van die twee werelden. Ik schrijf in de verleden tijd omdat het bestaan van die ochtenden vandaag aan een heel dun zijden draadje hangt. Mede doordat ik ben weggereden in zijn auto zonder te vertellen wanneer ik terugkom – want dat weet ik domweg nog niet – maar vooral omdat hij niet weet wat hij wil. Waar zijn dag bepaald wordt door de agenda van zijn secretaresse en het voetbalschema van de jongens, wordt de mijne gekleurd door het komen en gaan van momenten. Hij heeft de agenda, ik heb de tijd. Terwijl Timo zaterdagochtend als vader aan de kant van het voetbalveld staat te schreeuwen, fladder ik als een vlinder wat heen en weer in een puinhoop van onvoltooide avonturen, waarvan ik het begin en het einde nog niet ken.

Die avonturen zijn ooit begonnen op een betonnen muurtje, met een biertje in mijn hand omdat ik dacht dat het bierflesje samen met de sterren en het zomerhitje van 1997 erbij hoorde. Bij de pizzaromantiek, bedoel ik dan. Mijn idee van de liefde ging nog niet verder dan *Beverly Hills 90210* en de Griekse tragedies die we op school behandelden. Vrij vertroebeld dus. We reden rond op Emiliano's witte Vespa, we zwommen in lege baaien, we vreeën in de bosjes. Daar zijn meisjes nou eenmaal gevoelig voor. Vrouwen trouwens ook. Hoe hard ze soms ook beweren van niet.

Timo en ik zijn het verbond van mijn geloof dat we niet leven bij de gratie van grenzen, maar bij de mogelijkheden die daarachter verborgen liggen. Dat heilige geloof in mogelijkheden betekent domweg moeilijkheden, om de simpele reden dat ik die grenzen niet zie, ook niet als ze er zijn. En dat is best verontrustend, als je bedenkt dat een van die grenzen het makkelijke rekensommetje van vijfenveertig min drieëntwintig is. En als dat nog niet de handrem erop zet, dan tel je er nog een vrouw en twee kinderen bij op en kom je geheid tot de conclusie dat het hele verhaal een beetje onmogelijk was. Ze waren trouwens wel uit elkaar, moet ik erbij zeggen. Maar goed, ik keek niet ver genoeg. Nog steeds niet.

Dat soort gedachten dus, die me al reizende steeds verder van Chantal wegtrekken. In Heidelberg was ik ook op reis, maar ook weer niet, vanwege Chantal bij wie een deel van mij zich heel erg thuis voelt. Het eenzame deel, zal ik maar zeggen.

Ik rijd door het zuidwesten van Duitsland Frankrijk binnen, niet ver van het Zwarte Woud waar Goldmund doorheen trekt op zijn tocht door zijn leven. Karlsruhe. Strasbourg. Mulhouse. Rijdend door het Duitse landschap komen Narziss en Goldmund en Siddhartha en Govinda, de personages uit de verhalen van Hermann Hesse, samen met het Zwarte Woud in mijn voorruit, zo tot leven, dat ze nog maar een paar bladzijdes zijn verwijderd van mijn kilometerteller.

De tocht die de jonge Brahmanenzoon Siddhartha van leermeester tot leermeester en van wereld tot wereld leidt, om van andermans woorden een eigen ervaring te maken, heeft me altijd aangetrokken. Zijn antwoorden zoekend in het extreme – levend tussen de *samana's* zoekt hij via een fysieke lijdensweg naar de verlossing van het eeuwige verlangen. In de armen van een courtisane zoekt hij naar de ware liefde. Als machteloze vader zoekt hij naar acceptatie – hij vindt het allemaal, maar allemaal is het niet voldoende. Zijn vragen blijven hem aan een onzichtbare draad voorttrekken, totdat hij bij een rivier aankomt die hem leert te lachen om datgene wat leven heet. Aan fantasie geen gebrek. Ik wil ook weer kunnen lachen om datgene wat leven heet, maar helaas is ook dit cliché waar: vrouwen kunnen niet kaartlezen.

Ik gloei als ik het dorp sputterend binnen kom rijden. Als vanuit een helikopter zweef ik over mijn eiland, en vlieg weer eventjes mee, de bewoonde wereld in. Na vier dagen zon in Heidelberg steekt de lege Franse heuvel in de grijze lucht grauw af tegen het Duitse attractiestadje. En dat terwijl ik in Duitsland alleen maar donder en bliksem heb gezien. Vanochtend weggereden van de rust zelve in kamer 348, neemt in deze stilte de onrust het langzaam over. Het is donker en koud, en op een galmende kerkklok, een passerende tractor en mijn gastheer en gastvrouw na is het er geheel verlaten. Het dorp ligt mooi en mijn kamer voor de nacht nog mooier. Een heuvel, een boom, een kamer met een uitzicht. Stilte.

Het dichtstbijzijnde restaurant is 5 kilometer, drie bochten, twee rotondes en een dorp verder. Aangekomen in Les Marroniers in Lozanne deel ik de avond slechts met een jonge familie en een oud echtpaar, en dat op een zaterdag. De rust omsluit de hele streek. Voor de vijfde avond achtereenvolgens eet ik alleen. In Duitsland was dat niet veel, maar hier op Franse grond droom ik weg, bij een Frans piepkuiken en een karaf rode wijn, gewoon om de sfeer er een beetje in te trekken.

Dromen. Een van mijn allergrootste talenten. Een grote droom van mij ligt op mij te wachten in Odessa, of beter gezegd: in de weg over land en zee ernaartoe. De titel staat al in mijn werkmap op de desktop. *Met Fidessa naar Odessa.*

Deze droom is begonnen bij mijn moeder, van wie ik mijn romantische geest heb meegekregen. Mijn moeder leest graag oude verhalen uit vervlogen tijden, het liefst de Russische. Al lezende verdwijnt ze in haar eigen fantasie, die zich ergens afspeelt tussen de Oriënt-Express in het Venetië uit de jaren vijftig, de achtertuin van Tolstoj en de boekenplank van Dostojevski. In de haven van Odessa smelten al deze fantasieën samen, de verhalen meevoerend over de Zwarte Zee. Die fantasie hangt als een fladderende vlinder om haar heen, het huis hangt er vol mee. Antiek, eigenaardigheden, opgezette vogels, Delfts blauwe tegels, schetsen van andere levenskunstenaars. Odessa, het is de magie, de aantrekkingskracht van een droom, die alleen maar in eigen gedachten kan bestaan.

In de kleurplaat van die gedachten woon ik op het strand van een eiland en word ik iedere ochtend gewekt door de zilte lucht van de zee. Ik ren wat, langs een enorme krab op het strand die met zijn poten in de lucht om hulp vraagt. Ik draai hem – met het grootste scheermes dat ik kan vinden, omdat de krab de grootste blijkt te zijn die ik ooit ben tegengekomen – op zijn poten, ren terug naar huis en schrijf er een boek over. En ik noem het boek *De krab en het scheermes* en ik schuif hem op de boekenplank tussen de titels *De schildpad die nog altijd niet is aangespoeld* en *De meeuw die zo laag over de zeespiegel vloog dat hij met zijn klapperende vleugels zachte golfjes in het water achterliet.* De reden dat ik daar schrijf en niet schilder is omdat ik er zo van hou mijn omgeving tussen mijn woorden te ontvluchten en me terug te trekken in mijn eigen wereld, waarin mijn ritme het verloop van de dag aangeeft en niet andersom (en misschien ook omdat ik niet zo goed kan schilderen). Daar, in mijn eilandfantasie, schrijf ik er een tweede leven bij en dompel ik onder in die mensen en die verhalen waar ik niet meer uit getrokken wil worden. Ik kan alles zijn waar ik van gedroomd heb, iedereen spelen die me aanstaat; ik kan de werkelijkheid misleiden. Want op papier is het leven kleurrijker. Hoewel ik het in een nog onbekend gezelschap – waarvan de geheimen nog verborgen liggen onder de eerste indrukken die ik registreer – soms moeilijk vind iemand anders te zijn dan een bescheiden en wat afwachtende dame, die ik met het aantrekken van een elegante jurk tevoorschijn tover, ben ik op papier een mens in al haar aspecten. En op papier duurt eerlijkheid het langst. De confrontatie met wat anderen vinden is er niet, evenmin als de schaamte voor wat ik vind. Die komt pas bij de drukproef, maar dan is het al te laat, want dan heb ik me al vastgeschreven.

In die kleurplaat ben ik ook moeder van duizend kinderen en dat allemaal in een oude villa op een plek die ik nog niet gevonden heb. Of die misschien alleen in mijn dromen bestaat, net als het Odessa van mijn moeder. En ik ben een ideale gastvrouw, eeuwig meisje en bovenal bewaarster van verhalen, meegebracht door passanten. Die verhalen bewaar ik in een juwelenkistje, zo een dat begint te zingen als je het openmaakt, met een draaiende ballerina erin. Het leven zal zich afspelen rondom de keuken, die misschien wel de hele begane grond inneemt. Net als Josephine Baker zal ik de vreedzame regenboog van culturen in stand houden door allerlei kinderen van allerlei komaf om me heen te hebben rennen.

Terwijl ik me in al deze gedaantes terugtrek in mijn fantasie, weet ik niet dat 10.914 kilometer verderop een voor mij onbekende vrouw op datzelfde moment dezelfde gedachten door het hoofd heeft spoken. Dat ze opgekruld achter haar raam, uitkijkend over de haven, denkt aan het grijze gebied tussen haar leven en aan hoe ze het zich een aantal jaar geleden had voorgesteld. Ze zit daar, de veertig gepasseerd, moederloos en zonder pension, en vraagt zich af of het niet tijd is om een nieuw boek open te slaan: het boek der veranderingen.

*

28 maart 2007. De volgende dag ontdekten Chantal en ik al kletsend dat er twee soorten geluk zijn. Het geluk van een gekookt ei, een mooie avond of een warm bed. Het is het geluk dat we geneigd zijn vast te plakken aan onze zintuigen, en dat daarom komt en gaat, zonder dat wij daar invloed op hebben. Het verrast. Maar er is nog een ander geluk, een groter geluk, een kracht die Chantal, zelfs hier nog, of is het júist hier nog, deed genieten. Bij die gedachte drukte ik mijn vingers op mijn borstbeen en keek Chantal afwezig naar boven, recht voor zich uit. Het is ons bewustzijn.

Mijn dag was opgesplitst in twee werelden: die van het samenzijn in het *Krankenhaus* en die van alleen zijn, in Heidelberg. Overdag beleefde ik het afscheid van mijn vriendin, in de avond begroef ik me onder mijn woorden in de hoop een magische toverformule op papier te vinden, die de werkelijkheid makkelijker te verdragen zou maken. Of zelfs een rare twist zou geven. Ik verwoordde haar verhaal zoals ik het zag. Hoewel ik iedere dag bezocht werd door een koude wolk van verdriet, niet alleen bij het openen, maar ook bij het sluiten van de deur die haar wereld van degenen om haar heen scheidde, voelde ik me tegelijkertijd dankbaar daar te mogen zijn, in een rol waarin geven gelijkstond aan nemen.

Het is een raar ding, verdriet. Het is niet als een rugzak die je even van je schouders kunt halen om hem vervolgens weg te zetten in de gangkast. Het is meer als een hemd dat je niet kunt uittrekken, je zou je naakt voelen zonder. Of nog sterker eigenlijk: als een voet of een hand, een deel van je lijf dat bij je hoort en dat je overal mee naartoe draagt. Toch kun je, met rugzak en al, wel heel lang nalachen om het fijne en verrassende onderonsje bij de afhaalbalie van de Thai. Of vrolijk worden van de grappen die Chantal weer iedere dag uit haar mouw schudt. De lach doet de traan niet verdampen en de traan verbuigt de lach niet. Het is de lach die achter de traan schuilt en de traan die in de lach verborgen zit.

Het was een zegen om mijn hart, dat me thuis tot een last was gemaakt, zo goed te kunnen gebruiken. Chantal moest eens weten hoeveel ze mij heeft gegeven door me in haar intimiteit toe te laten. Iedere dag raakte ik verder van de onrust die mijn hart bewoog en kwam ik een stukje dichter bij Chantal, waardoor ik mijn rol steeds beter wist te spelen. Chantal was het verhaal, en ik was de schrijver.

'Heb je al een titel?' vroeg ze me op een dag. Ik bleef een tijdje stil, de grenzen van de eerlijkheid waar de dood om vraagt aftastend. Hoewel ik meerdere malen van idee was versprongen, en de schrijfwereld van het fictieve had geprobeerd te ontdekken, bleef mijn titel voorlopig hangen op *Ik leef*. Maar hier, aan het sterfbed van Chantal, bleef die als een ijsberg in mijn keel steken, en is die titel, zonder dat ik me daarvan bewust was, in een stiekem gat verdwenen.

Het viel me zwaar de geluksvogel van het stel te zijn, mijn vriendin aan mijn voeten te zien creperen. Het viel me nog zwaarder de hoofdpersoon van ons tweeën te zijn, die als enige over zou blijven in een verhaal waarin het leven meer te vertellen heeft dan de dood. Ik wilde niet meer de focus van mijn eigen leven zijn. Sterker nog: ik wás het niet meer. Niet hier althans, op deze kleine oppervlakte, zo gegrepen door het verhaal van een ander.

'Ik heb erover nagedacht, maar het is het nog niet,' zei ik, en ik draaide me naar haar om, weg van het uitzicht. '*Leef*.'

'*Leef*,' herhaalde ze, en ze keek weer naar boven, naar haar volgende station.

'Misschien kun je met me meedenken, want het is het niet.'

'Nee, het is het niet. Ik zal erover nadenken.' *Zal*. Een lugubere tijdsbepaling van iemand op haar sterfbed.

Terwijl Chantal aan het woord was, maakte ik notities. Voorzichtig vertelde ik haar dat ik al het een en ander geschreven had, op de momenten dat zij lag te slapen of te rusten, en vroeg haar of ze het wilde horen. Dat wilde ze zeker, hoe confronterend het ook was. Zo raakte ik steeds meer aan het woord, voorlezend vanaf mijn beeldscherm of mijn schrijfboek, en raakte Chantal steeds meer verweven in haar eigen werkelijkheid. Ze lachte, huilde, knikte.

De harde woorden hadden hun uitwerking. Spontaan stak de hoofdpijn op, en lag ze kortademig te hijgen in het kussen. Toch wilde ze het zo. De drang om op een andere tastbare manier voort te leven was sterker dan het protest van haar organen; dat begreep ik maar al te goed. Ze betrok me overal in, wilde dat ik alles vastlegde, in woorden en zelfs op foto's. Zo kwam het dat we structuur en aanpak bespraken van een boek, waarvan het gewicht in andermans ogen vreemd zou afsteken tegen het gewicht van de dood, omdat ieder woord dat ze toen uitsprak haar laatste had kunnen zijn.

'Ik dacht eraan wat meer met je moeder en zus te praten, en misschien ook met wat vriendinnen. Ik ken jou alleen maar met kanker. Ik ken je eigenlijk alleen maar als iemand die weet dat ze de veertig niet meer haalt.' Ik leg mijn aantekeningen even neer. 'Dat zei je al de eerste keer dat we elkaar ontmoetten, dat je de veertig niet zou halen.'

'Ja, ja, het is wat. Heb je het hun al gevraagd?'

'Nee, dat durf ik niet zo goed.'

'Dat kun je gewoon vragen. Mam en zus willen dat denk ik wel. Ze weten hoe belangrijk het voor me is.'

'Vind jij het een goed idee?'

'Ja.'

Nooit meer kunnen bewegen. Niet om een potje jam te halen bij de buurtsuper op de hoek, niet op hoge hakken het avontuur in, en ook niet in een auto onbekende wegen tegemoet gaan. Het werd me voor de tweede keer in korte tijd glashelder dat er niet zo iets bestaat als achterom kijken naar je daden en spijt voelen. Spijt heb je in een wit bed, wanneer de mogelijkheden niet naar links en rechts wijzen, maar slechts naar links óf rechts, zonder de vrijheid van een keuze. Noem het vrijheid, noem het verwarring, noem het achteraf 'als'. Linksom of rechtsom, ik ken geen wegen die niet naar de essentie leiden. De essentie van geboren worden en doodgaan, even essentieel als de beleving van het leven.

Chantal is niet de enige reden waarom ik van huis ben vertrokken. Ze is de druppel, maar niet de plas die mijn emmer deed overstromen. Ik ben vertrokken omdat ik niet weet wat ik met de snelheid van mijn leven aan moet. De dingen lijken al ten einde voordat ze zijn begonnen. Met het zicht op het kleine groeiende plasje dat voor me ligt voel ik me nog steeds niet thuis in de bron waarin banaliteiten een hoofdrol spelen. Kennissen die, om het patroon in stand te houden, opbellen om bij te kletsen. Verplichte bureaucratie, in de vorm van formulieren, telefoontjes, geregel, om je plaats in de maatschappij veilig te stellen. Wachten op de bus. Ochtenden van verveling. Al deze momenten voelen aan als verloren minuten, verloren minuten die ik twee jaar geleden dacht te zijn kwijtgeraakt. En minuten waar Chantal alleen maar van kan dromen.

Op de derde middag in Heidelberg vroeg Chantals moeder me naar mijn leven in Amsterdam. Of ik alleen woonde of samenwoonde. Of ik een vriend had. De onderwerpen die door ons hoofd speelden, buiten Chantal om, waren nog niet aangesneden. Misschien omdat er simpelweg geen ruimte voor was. Misschien omdat het niet lekker voelde om over andere belangrijkheden te praten. In de buurt van een sterfbed verdwijnen ze allemaal in de vergetelheid van relativiteit.

'Had, of heb,' antwoordde ik. 'Het is een beetje moeilijk nu. Een paar dagen geleden is de definitie ervan verdwenen.'

'O, heb je er veel last van, of is het juist een opluchting?'

'Het eerste. Hij is de laatste maanden erg afwezig. Hij zegt dat hij tijd nodig heeft, dat het steeds beter gaat, maar ik vraag me af hoeveel tijd ik hem nog kan geven zonder aan mezelf te gaan twijfelen.'

'Tijd nodig?' De stem van Kim, de zus van Chantal.

Ik knikte en begreep dat ik het verhaal nu niet ongelezen kon laten. 'Hij is getrouwd en al sinds ik hem ken bezig om van zijn vrouw te scheiden.'

'Getrouwd?!'

Ik knikte opnieuw, dit keer iets minder overtuigd. Er klonk verontwaardiging in haar stem bij het horen van die woorden, maar er school nog meer verontwaardiging in mijn eigen woorden. Vanaf hier, in Heidelberg, bezag ik de verliefdheid waarvan ik het afgelopen jaar een gevangene was geweest voor het eerst van een afstand, waarbij de rede het won van het gevoel, en zag alles er heel anders uit.

'Ja, getrouwd. De scheiding duurt en duurt. Ik heb al die tijd gedacht dat het puur een kwestie van afbouwen en afsluiten was, maar nu begin ik steeds beter te begrijpen wat ik waarschijnlijk nooit heb willen weten. Dat hij nog geen afstand heeft kunnen doen van zijn vrouw. En dat hij, na al die tijd met mij, nog steeds twijfelt.'

Ze keek me aan. Soms zegt een blik al voldoende. Zeker als er priemende, ijsgroene ogen achter schuilen. Ze waren strak gericht op de mijne. Zo strak dat de emotie erin helder te lezen was.

'Wegwezen, Sophie,' zei Kim. 'Wegwezen. Trek je snelste sportschoenen aan en ren. Ren!'

'Hij zal het niet doen,' vulde haar moeder aan. 'Jij moet de beslissing nemen. Mannen kunnen niet alleen zijn.' En een zucht later: 'Arm kind, verliefd zijn is een kwelling.'

Mannen dit, vrouwen dat – dogma's die ik, naarmate de vrouw in mij het langzaam van het meisje overneemt, meer en meer heb te aanvaarden. Ze hangen als een donkere paraplu boven mijn fladderende geest, om me te verschuilen tegen de misstap die ik zojuist heb gezet. Zo uitgesproken als ik ben over mezelf, zo sprakeloos ben ik over het gedrag van anderen. En daardoor ben ik in een pocketroman terechtgekomen waarvan ik geen idee heb hoe ik hem moet beëindigen en terug op de plank moet zetten, bij de T van Timo, onder uitgelezen boeken.

'Echt, ik meen het. Ik zou maar vast beginnen met je veters te strikken,' zei Kim.

'Hé, wees niet zo hard. Dat is toch helemaal niet leuk om te horen?' Opeens voelde ik de betrokkenheid, die ergens in de afgelopen dagen opgebouwd moest zijn, in de stem van

Chantals moeder. Het verwarmde me, op een dag waarop al het andere zo koud aanvoelde.

'Waar lullen we over, hè? Met of zonder pruik in de kist. Die dikke kop ben ik toch niet, dus wat maakt het ook uit? Ik zet maar gewoon mijn petje op, ik denk dat dat beter is. Hè? Wat denken jullie?'

Net terug van een ochtendje doelloos slenteren door de *Hauptstraße* van Heidelberg, tussen de H&M, waar de nieuwe collectie van Madonna hing, en de cd-winkels in, dacht ik dat ik door niemand meer gezien wilde worden als er zo weinig van mezelf over zou zijn, maar ik liet die gedachte niet aan mijn mond ontglippen. Haar moeder antwoordde dat ze een petje een goed idee vond, omdat Chantal ten tijde van haar kale hoofd vaak een petje droeg, dat het petje goed bij haar paste.

'Ik droeg helemaal niet vaak een pet. Ik droeg mijn haar het liefste los.' Er klonk frustratie in haar stem, en verdriet om niet meer te kunnen zijn wie ze wilde zijn. Ik keek naar het fotolijstje dat naast haar bed stond. Twee foto's. Een van Chantal met haar honden, twee blonde labradors, net zo blond als de vrouw die Chantal toen was. Toen, dat is energiek, stralend en hoogblond. Het is de Chantal zoals ze het liefst herinnerd wil worden. Ik heb die vrouw nooit gekend. Ik ken de vrouw van de foto ernaast, vorig jaar gemaakt door een glossy, van de terminaal zieke Chantal: energiek, stralend, eenzaam, een kort donker kapsel met enkele blonde lokken. Maar de Chantal die ik inmiddels het best kende, was misschien wel de Chantal die hier zo onherkenbaar in haar bed lag.

'Waar jij je het meest Chan bij voelt,' antwoordde ik voorzichtig, zoals ik alles voorzichtig uitsprak in kamer 348 van het Krankenhaus St. Vincentius te Heidelberg.

Ze was moe, ze hield haar ogen gesloten. Om de beurt namen we afscheid, maar ze gaf aan dat ze nog even met mij wilde praten.

'Tot morgen, Channie.'

'Tot morgen, mam.'

We bleven met z'n tweeën achter. Haar ogen waren nog steeds gesloten. En we bleven allebei stil. De last van ons aankomend afscheid, die ik die middag alle zes de trappen van het hospice mee omhoog had gezeuld, voelde in onze stilte alleen maar zwaarder aan. Uiteindelijk kwam de vraag die ik al tientallen keren in mijn hoofd geformuleerd had eruit.

'Chan, wanneer zal ik vertrekken?'

'Zaterdagochtend. Dan is er weinig verkeer op de weg.'

'Oké, dan vertrek ik zaterdagochtend.'

Voor Chantal golden de dagen van de week niet meer. Maandag of donderdag, weekend of woensdag. Benoemingen die in de gang van het ziekenhuis zijn blijven steken, ergens achter de deur van haar kamer. Er is maar één dag: sterfdag. Het doet er ook niet meer toe of het gisteren of vandaag gebeurt. Haar was het om het even; haar leven had ze al gedag gezegd toen ze de dood de hand had geschud. Het is de liefde voor de mensen om haar bed, die haar lichamelijk nog moeten loslaten, die haar hier in leven houdt; het enige medicijn voor de patiënt dat tegen het leven in deze kamer bestand is.

Kamer 348. Het telefoonnummer staat nog steeds in mijn telefoon.

Degene die het sterkst liefheeft, lijdt het meest. In een leven zonder liefde begint de dood pas te bestaan als het leven ophoudt. Leven en dood, twee gescheiden werelden.

Maar in een leven waarin liefde onze wegen uitzet, ontstaat er een innige relatie tussen deze twee werelden. Ze kunnen niet meer zonder elkaar bestaan. De liefde wint het iedere keer weer van de dood. Er is een formule waarin leven en dood tot een en dezelfde wiskunde behoren: de formule die op liefde uitkomt. En de liefde, die kun je niet begraven. Chantal zal daarom niet in één dag gestorven zijn. Haar laatste adem houdt de tranen van de bewoners in haar hart altijd in zijn greep.

2 april 2007. Na enkele dagen heuvel, boom en kerktoren verandert de rust in verveling en de verveling in een teveel aan alleen-zijn. En een teveel aan alleen, daar is maar één woord voor. Doodvermoeiend.

Barcelona lonkt op minder dan 700 kilometer afstand. Maar vijf dagen en 1100 kilometer verwijderd van Chantal komt de wetenschap dat alles anders is als een verrot houtje bovendrijven. Gekleed in rode cocktailjurk en Manolo Blahniks blijft er maar weinig van mezelf over aan de drukbevolkte bar in de haven van de Catalaanse stad. Barcelona fungeert als modern bedevaartsoord voor mij en mijn reizende vrienden. Ik heb afgesproken met Milan, die hier een paar dagen is neergestreken voor een verlenging van haar cursus Spaans. Op diezelfde cursus Spaans hebben we elkaar vier maanden geleden in Amsterdam tussen de woordenstampende gepensioneerden ontmoet; we verkeren dus nog in de honeymoonfase van onze vriendschap. Cursussen zijn voor mensen die niet weten wat ze met hun tijd aan moeten. Lees: 65+'ers en rijke Russinnen. Het slag mensen dat cursussen volgt doet dat in de regel omdat ze hun hobby's kwijt zijn. Dus gewoon om bezig te zijn. Of ze hebben geen bezigheden, of de bezigheden die ze hebben houden hen niet meer bezig. In beide gevallen is een cursus voldoende om iedere woensdagochtend voor wakker te worden, je huis voor te verlaten en drie uur Spaans voor te stampen, om pas weer uitgeput in de middag – echt gewend aan bezigheden ben je niet meer – thuis te komen. De impuls waarin we ons allebei hebben opgegeven zette ons naast elkaar in het klaslokaal. Ons bankje werd algauw het strafbankje; onze grootste motivatie bleek onze impulsiviteit. De eerste weken kwam ik nog voor Lola, de enthousiaste lerares, maar na week drie was ik overtuigd: Milan was mijn nieuwe project geworden.

Milan is moeder van vier tieners, een hond zo groot als een koe en twee katten die hun eten verdienen door te figureren in Gourmet-reclames tussen de goedkope soaps door. In de ogen van anderen zijn we moeder en dochter, tante en nicht of meesteres en leerlinge. Nou is dat laatste wel een beetje waar. En dat eerste misschien ook wel, en in het derde zie ik ook wel wat, maar officieel – dat wil zeggen volgens de Nederlandse taal – zijn we vriendinnen met een uit de hand gelopen leeftijdsverschil; het levende bewijs dat stempels uit de mode zijn.

Ik kijk op het klokje dat om mijn nek hangt en zie dat Chantal haar rozenbad vandaag al heeft gehad. Het is twintig minuten over acht. Vanaf deze bar beangstigt haar lot me meer. Want zo gaat dat met enge dingen: die bestaan alleen in de gedachten van de toeschouwer, de buitenstaander. Totdat ze bij het leven horen en je ze ergens in je belevingswereld tussen de koorts en de griep in moet bewaren, pas dan horen ze erbij. Maar tot die dag meten we andermans prestaties af aan onze eigen angsten. We hebben bewondering voor diegenen die onze grootste angst doormaken. Opeens vind ik het heel moedig en knap hoe Chantal daar stilletjes kan liggen wachten op de dood, die ieder moment op de deur kan kloppen – niet dat ze de keuze heeft om haar laatste uren in het nachtleven van Heidelberg te slijten. Ja, slijten – zo voelt het als het enige wat het leven je nog kan geven de dood is.

Ik begin te lachen als ik denk aan de stoute Chantal die de doolhof van pijlen en berekeningen die de radiotherapeuten op haar borsten hadden achtergelaten in het café wegmoffelde met: 'O, dat is de route naar mijn erogene zone.' Ik weet zeker dat ze, als ze Heidelberg in had kunnen gaan, de leukste bar al gevonden had. Zo ging dat met Chantal: ze heeft een magnetische aantrekking op mensen. Ze ging niet naar het feestje, ze wás het feestje. En nog steeds is zij van ons allemaal de lolligste in kamer 348.

'*Hasta mañana!*' klinkt er door de bar. Ik kijk om, en ja hoor: het is Milan. De ober trekt een even verbaasd gezicht als ik, de klok staat immers op halfnegen. In de avond. Ze heeft hem gauw door. Haar talenblunder. De glimlach waarmee ze vanochtend waarschijnlijk zo zonnig het bed uit is gerold is al verdwenen voordat ik met mijn ogen heb kunnen knipperen. Ik daarentegen heb de grootse lol. Leedvermaak, wat je leraar of moeder ook tegen je zegt, het blijft het leukste vermaak.

'*Buenos tardes*,' is zijn antwoord. Tien minuten brommen, grommen en mokken volgen.

'En daar volg ik nou al drie maanden Spaans voor, om tegen de eerste beste *camarero* de fout in te gaan.'

'Maak je niet druk. We moeten gewoon weer even wennen,' zeg ik.

De wijn arriveert, samen met de eerste tapas. Na twee uur kletsen over de maakbaarheid van liefde, herinneringen aan kortstondige affaires oprakelend, ga ik langzaam op in de wereld van het bestaan. Die van calamaris, niet die gefrituurde, maar juist die kleintjes met pootjes en hoofdjes; gebakken *pimientos*, iets tussen groene paprika en groene pepertjes in; rauwe tonijntartaar; mooie mannen; en meisjesachtige onzekerheden. Het is een welkome verademing. Maar ik voel dat de vraag die ze me eigenlijk wil stellen al twee uur op haar tong ligt te branden.

'Hoe was het eigenlijk in Duitsland?' Ja hoor, daar is-ie. 'We hoeven het er niet over te hebben als je...'

'Nee, nee, het is oké,' zeg ik. 'Ik heb er eigenlijk nog met niemand over gesproken sinds ik ben weggereden. Alsof het helemaal niet bestaat.'

'En?'

'Het was verdrietig, maar ook mooi. En vreemd. Daar, hier – zo'n contrast.'

'Hoe lang heeft ze nog?'

'Het kan een dag zijn, het kan ook een maand zijn. Maar dat laatste verwachten ze niet.'

'Heeft ze veel pijn?'

'Ik denk dat ze heel verdrietig is. Dat vind ik nog veel erger.'

'En Timo?' vraagt ze.

'Nog steeds hetzelfde liedje. Hij maakt me onzeker, geeft uiteindelijk toe dat hij het allemaal niet weet, ik ga weg, mis hem, hij stuurt me bloemen, briefjes, boekjes, vliegt me zelfs achterna als het moet, wakkert mijn hoop aan, en ik word weer naast hem wakker, om me vervolgens af te vragen hoeveel langer ik mezelf nog voor de gek wil houden. Dat is zo ongeveer nu. Het duurt al zoveel langer dan ik had verwacht uit te houden. Het duurt en het duurt. Ik weet gewoon niet meer wanneer het te veel is. Wanneer is het te veel?'

'Als je alleen door het verlies van een vriendin heen moet. Dan is het te veel.'

'Ik denk dat ik op iets wacht wat er niet is.'

'Misschien hebben jullie elkaar gewoon te vroeg ontmoet. Hij heeft nog een hele scheiding te verwerken,' merkt Milan op.

'Wat moet het heerlijk zijn om op een dag wakker te worden zonder de warmte van zijn lijf te missen.'

'Schat, ik kan niet in je hart kijken. Maar als je echt van hem houdt, moet je misschien nog niet opgeven. Hij houdt van jou, dat weet ik zeker. Maar ja, we worden niet altijd beter van de liefde. Als je van de verkeerde houdt, is liefde niet meer dan een hardnekkige griep die je met pijnstillers alleen niet kunt bestrijden.'

30 maart 2007. Toen ik die middag op de deur van kamer 348 klopte, wist ik dat ik gedag moest zeggen om nooit meer terug te komen. Het viel me zwaar, afscheid te nemen van die gekke Chan, maar ook om weg te rijden van de kleine en warme familie die om haar heen bewoog. Ik opende de deur zo zacht als ik kon en keek naar mijn vriendin. Ze had haar ogen dicht en haar armen over haar opgezette buik gevouwen. Vredig, kalm, en al een beetje doods.

Even zachtjes als ik was binnengekomen, begeleidde ik de deur terug in het slot. Deuren in ziekenhuizen kraken niet. Het is niet al te moeilijk zonder enig geluid een kamer in en uit te gaan. Ik was hier op mijn een na laatste dag inmiddels erg geoefend in geraakt, zodat ik Chan niet nodeloos van haar rust hoefde te beroven. Maar toen ik me omdraaide en een tweede blik op haar wierp, stonden haar ogen wijd open. Ik weet nog dat ik daarvan schrok, alsof er iets gebeurd was wat niet had kunnen gebeuren. Het was alsof nog iemand anders me aankeek, door de ogen van Chantal.

'Hé, Sophietje.' Ze probeerde rechtop te gaan zitten, wat steeds moeilijker werd.

Vlak na mij kwam er een zuster binnen, die 'Tulpen aus Amsterdam' begon te zingen bij de aanblik van de gele bloemen naast het bed. Chantal haakte meteen in. Nederlands, Duits – na zes maanden therapie in Duitsland kende ze beide versies. Ze vroeg zich af of het van Rudi Carrell was.

'Duizend rode, duizend gele... Zo gaat-ie,' zei ze lachend. 'Als de lente komt...' Terwijl de kamer steeds gevulder raakte met tulpen uit Amsterdam, schreef ik haastig door.

'Schrijf je dat op?' De pret was begonnen. 'Moet je niet iets drinken, Sophietje? Dan haal ik het even voor je,' zei ze, weer die lach. Ik grapte terug dat het boek nog in de sectie Humor terecht zou komen.

Maar toen ging ze weer over op de orde van de dag. 'Zal ik dat maar doen, een pet? Of toch een sjaaltje? Ja, ik vind een sjaaltje wel mooi, wel chic, en ik ben natuurlijk retechic.'

'Retechic,' bevestigde ik.

'Een lichtblauw overhemd, een lichtblauwe sjaal. Als ze maar niet mijn eyeliner vergeten.' Ik schreef het op en las het terug. Wat een tearjerker. 'De eyeliner is nooit gezet, het werd een rommeltje,' zei haar zus daar een paar weken later over. Na de tulpen werd het stil. Chantal werd steeds sneller moe en het zingen had zijn tol gevraagd. Ik bleef zitten schrijven en kijken op slechts het geluid van onze ademhaling. Op dat geluid wendde ik mijn blik van het bed af, naar buiten toe, en liet mijn ogen glijden over de schilderachtige huizen aan de overkant. Ik keek terug naar Chan en vroeg me af welke Chantal ik voor me zou zien als ik de volgende dag dan echt zou wegrijden en vanaf het Franse platteland aan haar terug zou denken.

Onze voortdurende stilte werd onderbroken door haar

moeder en haar zus, die geen dag voorbij lieten gaan zonder bij Chantal te zijn. Alles wat ze thuis hadden moeten achterlaten verbleekte bij het leven waarin ze hier in Heidelberg iedere ochtend wakker werden. Het ziekbed van Chantal vormde een onbreekbare eenheid van de liefde die ze voor elkaar voelen, die zo sterk was dat hij bijna was aan te raken. *Dead or alive.* Daar is geen fysieke aanwezigheid voor nodig. Chantals lichamelijke afwezigheid zou tot een bron van herinneringen worden.

'Hoe is het met mijn meisje?' vroeg haar moeder toen ze binnenkwam. Opnieuw stonden Chantals ogen wijd open alsof ze dat de afgelopen paar uur hadden gedaan. Ze viel steeds gemakkelijker in slaap, om kort daarna weer even gemakkelijk gewekt te worden door een signaal, een zuster of bezoek.

'Goed, voor zover mogelijk dan, hè.' Haar ogen gleden door de kamer. 'Ik heb een ander besluit genomen. Ik wil een klassieke broek aan, een zwarte of donkerblauwe, met een omslag, als het lukt. Als hij maar recht is en niet smal.' Bam. Geen tijd voor mooiweergelul meer.

'Niet zoals de broek van je moeder, dus,' antwoordde haar moeder scherp.

'Nee, inderdaad.' Een diepe zucht, die me herinnerde aan haar vermoeidheid. De gedachte aan ons afscheid nagelde me vast in de kamer, maar met iedere zucht die Chantal slaakte voelde ik me minder en minder op mijn plaats. Tijd was het enige waar ze nog over beschikte, en ook daar had ze nog maar heel weinig van. En nu mijn rol vervuld was, at ik die alleen maar op. Ik at van de tijd die ze samen konden zijn als familie. Als drie-eenheid van deze later illusionaire tijd. Ik at van de ruimte om deze nachtmerrie in hun sterke eenheid te verwerken. Moeder en dochters, zo intiem. Ik stond op, en toen ik dat deed bleek ik niet de enige die de spanning van mijn vertrek voelde.

Het moment was gevangen in een verschrikkelijk breekbare stilte en Chantal was de enige die het recht had om hem te verbreken. Maar dat deed ze niet. De stilte gaf de ene akelige gedachte na de andere de kans om boven te drijven, totdat ze als een dampende februarimist in de kamer bleven hangen. En het bleef stil.

S.T.I.L.

Toen verbrak ze hem, en terwijl ze hem verbrak verdween de koude mist die alleen in een stilte kan gedijen. 'Kom je morgenochtend langs met twee gekookte eitjes voordat je wegrijdt? Ik heb er zo'n zin in gekregen toen je vertelde over je ontbijtje in het hotel.' In het hotel at ik iedere dag een gekookt ei. Opgelucht haalde ik adem.

'Graag, Chan. Graag. Ik zie je morgen,' zei ik.

Misschien dat ik daarom, zo veel dagen na dato, nog iedere ochtend een gekookt ei eet.

Het was mijn laatste avond in Heidelberg toen ik een wandeling maakte langs het water, het hotel, het ziekenhuis. Ik passeerde een grote feestzaal, aangekleed met sfeerverlichting en jonge nachtvlinders, op niet meer dan 30 meter afstand van de kamer waarin Chantal haar vleugels naar een andere wereld zou uitslaan. Ik keek naar links en ik keek naar rechts. Links was het feest en rechts lag mijn vriendin dood te gaan. En ik stond ertussenin, precies in het midden tussen leven en dood. Een plek waar ik me vandaag de dag nog steeds bevind.

Die nacht kon ik niet slapen. De lakens waren warm, ik

had het benauwd, mijn lijf voelde plakkerig aan. Ik keek opzij, naar de frisse en droge kant van het bed, maar die voelde te leeg om in weg te kruipen. Uiteindelijk viel ook ik in slaap met steken die mij herinnerden aan mijn verleden. Misschien dat ik een beetje met Chantal meevoelde, ook al voelde zij niets meer dan de eenzaamheid die zo goddomme aanwezig is in een kamer waarin alles wat je aanraakt ademt naar dood. Nog een dag en ik zou in Lyon zijn.

De dag begon stil en donker. En ik zal nooit meer vergeten dat het een zaterdag was.

'En dat van een ei, weet je wel, gewoon een ei?' zei Chantal lachend over haar opwinding voor het ontbijt dat ik voor haar klaarmaakte.

'Hoeveel eieren heb ik niet gegeten in mijn leven?' Daar was-ie weer: onze grote vriend Relativeren.

Twintig minuten verstreken, misschien dertig. Ik weet het niet meer. Wat zijn minuten nog als er nog zo weinig van over zijn? Ze verworden tot momenten, die ergens achter de wijzers van de klok verborgen zitten. Helaas tikken ook die door.

'En nu...' begon ik.

'En nu ga je me verlaten. Ik vond het heel fijn dat je er was. Je bent een topper, weet dat. Vertrouw op wie je bent, Sophietje. In alles, ook nu met Timo. Volg je hart, vertrouw daarop. Dat heeft altijd gelijk. En doe voorzichtig.' Tja, Timo. Ik hoop dat de leegte die hij heeft achtergelaten met de kilometer verdwijnt.

'Jij ook, hè schat. En bedankt voor alles.' Geweldig, Sophie. Geweldig antwoord. Wat zeg je tegen iemand die doodgaat?

'Nou, ik wilde nog even een stukje joggen, op doktersadvies. Ha ha! En dan zwemmen, tegen de stroom van de rivier in, goed voor de spieren...' Ze schonk me een laatste broze glimlach, zo broos dat de eenzaamheid die achter haar tanden verborgen ging in gebroken scheurtjes op haar lippen tevoorschijn kwam, klaar om in woorden gegoten te worden. Maar er kwam ook nog iets anders vanachter haar stralend witte tanden tevoorschijn. Iets stiekems, waarvan alleen zij het bestaan kende. Het was zo tekenend voor haar glimlach dat het écht werd. Als iets wat ik kon vastpakken en met me mee kon nemen, naar buiten toe, het leven in. Misschien was het wel een stukje berusting in de dingen zoals ze zijn, iets wat Chantal de laatste dagen op haar ziekbed hopelijk heeft bereikt.

Er zijn mensen die geloven dat we gaan als we klaar zijn. Dat iedereen er op zijn eigen tijd mee ophoudt, hoe vroeg de wekker ook afgaat. Ik wil dat ook graag geloven, dat we gaan als we het licht gezien hebben. En dat het niet uitmaakt wanneer we gaan, het woord gaan zegt het eigenlijk al. Er zijn ook mensen die zeggen dat het zo lekker warm is, daar bij de dood, en zo licht in alle betekenissen van het woord, dat ze niet meer terug zouden willen.

In enkele seconden zou Chantal niet meer dan een herinnering zijn, die in de volgende stilte zou komen bovendrijven, zo breekbaar als pas gevallen herfstbladeren. Ik nam afscheid met twee gekookte eitjes.

*

Zoals het een moderne zigeunerin betaamt, bungelen mijn benen over de rand van het hulpdienstwagentje van de Spaanse wegenwacht. In de buurt van Granada, ergens tussen Nerja en Motril in, sta ik op de vluchtstrook, al voordat de gebeurtenis tot een feit is doorgedrongen. Lekke band.

Het is de eerste keer dat ik de ANWB-kaart van Timo erbij pak.

'De auto staat op de naam van meneer Timo Thijssen. Ik spreek nu met zijn vrouw, mag ik aannemen?' vraagt een onbekende stem aan de lijn. Slik. Mevrouw moest eens weten. Schuldbewust en zo zacht mogelijk mompel ik een 'ja' in de microfoon van mijn mobiel.

'Wat zegt u? Ik kan u niet goed verstaan.' Dat is nou ook net de bedoeling, imbeciel.

'Ja, daar spreekt u mee.'

'Mooi. Wat is uw postcode?' Ha, die weet ik toevallig. Voldoende bloemen en kaartjes gestuurd.

'En uw kenteken?'

Ik geef hem het kenteken.

'En uw man is wel bij u, neem ik aan?' Nee, sukkel, dat is-ie niet. Maar het lijkt me verstandiger om het hele plaatje nu maar vol te lullen.

'Ja. Hij, uh... Hij ligt op het strand.' Van trots sla ik mijn benen over elkaar. Best goed in, en best leuk eigenlijk, liegen.

'Het strand? Zo laat nog?' Yagh, wat een nerd.

'Ik ben in Spanje, zei ik toch?' Mijn stem klinkt ietwat onaardig, en ik bel nog wel onder de naam van de vrouw van Timo. Snel gooi ik er iets vriendelijks achteraan.

'Wat fijn toch dat jullie bestaan, hè, de ANWB. Ik zou niet weten wat ik zonder jullie moest.' Ha, puntje gescoord.

'Nou, mevrouw, als het goed is staan er oranje paaltjes langs de weg met SOS erop. Die kunt u ook gewoon gebruiken, hoor.' Gadverdamme, wat een kwast.

Als uit een filmscène kwam hij aangereden, we leken allebei verrast door wat we aantroffen, zo verlaten langs de weg. Rechts van ons de zee. Links van ons het begin van de Sierra Nevada. Naast mij een sterke Spaanse knul die de band van mijn auto verwisselt. Het is halfacht 's avonds, maar de zon lijkt met het verstrijken van de uren alleen maar harder te gaan schijnen. Vooral daarom bedenk ik altijd als ik in Spanje ben dat ik hier wil wonen.

Terwijl ik met samengeknepen ogen toekijk hoe hij de band verwisselt, wordt me duidelijk hoe ver ik al van Chantal verwijderd ben: 1900 kilometer en tien dagen om precies te zijn. St. Jean des Vignes, Barcelona, Denia, Granada. Maar niet alleen in kilometers en dagen, maar vooral ook in gedachten en belevenissen. De markten in Almunecar, de antieke sprookjeskast die ik heb gekocht bij Gym, een Engelse verzamelaarster in Chite, de wandelingen door de vallei van Bayacas, het zwemmen in de zee van Salobrena en alle flessen rioja en pakken gazpacho die ik onderweg verzameld heb. Dit heb ik allemaal gedaan terwijl Chantal heeft liggen liggen. En dat nog steeds in dezelfde volharding ligt te doen.

Als Juan – hij heet echt zo – klaar is met zijn gereedschap en mij weer veilig op de vluchtstrook heeft achtergelaten, rijd ik door naar Orgiva, Bayacas, om precies te zijn. Na nog 30 kilometer snelweg kom ik bij de brug die het begin is van de weg die me door de bergen heen naar mijn bestemming in het binnenland leidt. Die van Otto en Bebé, mijn peetouders. Het microleven dat Otto, Bebé en ik met zijn drieën beleven is voorspelbaar, rustig en langzaam. Er gebeurt heel weinig, en als er iets gebeurt, heeft dat óf betrekking op de geitenherder, óf iets te maken met de hond van de buren. Als de telefoon gaat, schrikken we alle drie even op, alsof het een geluid is dat we nog niet eerder gehoord hebben. Mijn peetouders zijn als uit een sprookjesboek mijn leven in gekropen. Recht vanaf de mooiste bladzijde, waarin de open haard altijd brandt, de wandelingen altijd lang en mooi zijn, de honden altijd om ons heen springen en de chocolademelk altijd warm is. Hier gaat de ene dag op in de andere, zonder van die pagina af te wijken.

Tijd krijgt een heel andere betekenis naarmate de dagen verstrijken. Naarmate we ouder worden. De minuten van een twintigjarige zijn totaal anders dan de minuten van een vijftig- of een tachtigjarige. Ze zijn langer. Op je tweede verjaardag neemt je leeftijd met 50 procent toe. Op je elfde verjaardag is dat nog maar 10 procent. Op je vijftigste verjaardag is dat getal gereduceerd tot 0,02 procent. Tel uit je winst. De tijd vliegt steeds sneller voorbij. Rennen dus.

Iedere ochtend laat ik de Spaanse dag over me heen komen – de rode en gele tomaten, de zon, de honden, de bergen. En iedere dag duren die momenten ietsje korter. Inmiddels is het is al tien dagen, tien dagen geleden dat ik voor het laatst een Duits ei heb gegeten. En eigenlijk is het enige wat me echt bezighoudt: vandaag.

Totdat ik op 13 april wakker word gebeld. Ik beleef de dag als alle andere. Ik ben zelfs vrolijk, als ik met de honden door de vallei ren. En gelukkig, als ik op de top van de bergrug zit, met zo veel natuur om me heen dat mijn gemoedstoestand voor een ogenblik even harmonieus aanvoelt als mijn uitzicht. En dat alles in de wetenschap dat het koude lijf van Chantal nu in een mortuarium ligt. *Griezelig hè, dat ik daar straks tussen lig.* Een rilling trekt over mijn rug, terwijl ik zonnig doorklauter over de *ridge*. Er rolt een langzame en dikke traan over mijn wang, als ik in de namiddag, verzonken in gedachten, bezoek krijg van een blauwe vlinder, die niet één, maar twee keer mijn hand uitzoekt om op te rusten. Maar 's avonds bij de tweede rilling lukt het me niet meer om op twee benen te blijven staan en barst ik in huilen uit. Ik schrik van de woorden van haar zus, die me vanmorgen vroeg heeft gebeld om me te vertellen dat Chantal er niet meer is. De woorden kende ik al, het was alleen het wanneer dat nog ingevuld moest worden en daarna door moest dringen.

Chantal is vijfendertig als ze het leven laat.

De bal waar ik op sta te balanceren, blijft doorrollen, de berg af. En ik rol mee, me aanpassend aan de omstandigheden die me gegeven worden. Zo wordt de optelsom van de dingen die me overkomen steeds hoger dan de optelsom van de dingen die ik ooit voor mezelf bedacht had. Misschien dat daarom de zin zo groeit om ervan af te springen, een eigen weg in, want hoe verder het balletje rolt, hoe verder ik verwijder raak van mijn eigen ideeën. Het balletje rolt sneller dan mijn hoofd kan denken.

Alsof ik met de deur naar Chantal, als ik wegrijd uit Bayacas om over twee dagen de crematie van Chantal in Heidelberg bij te kunnen wonen, ook weer de deur naar de andere onrustzaaiers in mijn hart openzet, ontvang ik een sms van Timo, die opnieuw het vuur in mij gevonden denkt te hebben.

Als er donderdagavond een lifter langs de weg staat neem je die dan mee?

Terwijl ik het sms'je lees, trekt er een warme gloed over mijn rug, alsof de Timo van mijn dromen zelf achter me staat en zijn handen voorzichtig over me heen laat glijden. Mijn haartjes, waar hij altijd zo lekker aan kan trekken, mijn nek, schouders, het midden van mijn rug. De handen laten een spoor van prikkels achter.

Uiteindelijk lijken al mijn verlangens terug te leiden naar de prins op het witte paard, of in Timo's geval, de prins in een oude jeep gevuld met bagage. Misschien houden we slechts vast aan een zwart pak en een witte jurk om die verlangens contour te geven. En is dat het verschil tussen vertrouwen op je hart en vertrouwen op plaatjes en is dat wat Chantal bedoelde toen we afscheid namen met twee eitjes. Ik zou de plaatjes voortaan met potlood kunnen inkleuren in plaats van met stift.

Na een simpele ronde van supermarktinkopen door Lecrin, koffie tussen de lokale Engelsen en een hoognodig bezoek aan Pablo van de BP-garage, loop ik langs een grote villa. Ik draag mijn Spaanse bruine *boots*, beige minishorts en een witte blouse. Om mijn middel heb ik een oude bruine leren riem van Otto geknoopt. Het zijn de kleuren van het Spanje uit mijn gedachten. Achter het hek loopt een herdershond heen en weer, voor het hek hangt een klein bordje met het opschrift MOLINOS DEL MARQUES. De herdershond, de *molino*, de rustieke plek – het past allemaal. Ik glijd weg in de verheerlijking van een droom, ver van Amsterdam, waar ik me zo opgejaagd kan voelen door alles wat anders is afgelopen dan ik ooit op dat betonnen muurtje had kunnen bedenken. Het is heel makkelijk om te denken dat je die ideale dag ergens anders wel kunt leven, omdat je in de anonimiteit die je als bezoeker met je meedraagt heel gemakkelijk je eigen wereld kunt scheppen, zonder de last van verhuisdozen, troep en andere bagage. Het is de illusie van de vakantiefolder, die Alain de Botton beschrijft in *De kunst van het reizen.* We staren ons blind op de palmbomen, de witte stranden en de blauwe zee, en vergeten dat we ons wel eens heel eenzaam zouden kunnen voelen in die idylle, omdat je niet alleen je bikini, maar ook je eigen verwachtingen en bovenal jezelf inpakt. Toch blijf ik nog even verder dromen.

Ik loop een paar keer rond de molino, neem een foto van het naambordje en klim terug in de Land Rover. Telefoon. Berichten. Inbox. Timo.

Als er donderdagavond een lifter langs de weg staat neem je die dan mee?

Bericht maken.

Alleen als die lifter heel heel heel zeker weet welke kant hij op moet.

Twee keer piep:

Odessa...

Odessa... Hij heeft altijd een neus gehad voor mijn gevoelige plekken. Odessa. Zou het?

De smalle landweg slingert door een woud van dicht op elkaar groeiende sparren. Her en der splitsen zich nog smallere en nauwere paadjes af, die in de gevallen schemer beelden uit horrorfilms en nachtmerries oproepen.

Yagh.

Snel doorrijden. Helaas lukt dat niet zo in een zware auto die al in z'n twee begint tegen te sputteren als de weg een beetje omhoogkruipt. Opeens is het donker en zie ik door de sluimerende schimmen die in legers achter de bomen tevoorschijn zijn gekomen het bos niet meer.

Heuvel.

Yagh.

Met diepe zuchten en schokkende stoten komen Land Rover en ik net boven aan de heuvel tot stilstand. Ik zet de auto vlug op de handrem, om me vervolgens te bedenken dat ik op de hellingproef nog bijna gezakt was.

Kut.

Bezweet zie ik na nog drie bochten en drie moeizame heuvels zoiets moois dat ik spontaan begin te lachen. Het oude landhuis waar ik naartoe rijd, ligt aan de voet van een ravijn, en is omgeven door tientallen fakkels. Tussen de Mercedessen en BMW's in schuif ik de inmiddels met mos begroeide auto in het parkeervak en ik loop naar de rand van het klif. Niets eng, want er staat een groot hek tussen. Het uitzicht is net zo mooi als mijn uiteindelijke bestemming klote is.

Meer dan 1000 kilometer heb ik vandaag afgelegd, van Chite naar de omgeving van Roda de Ter, een dorp zo klein dat het navigatiesysteem het niet eens aangeeft. In een straal van 1000 kilometer kun je veel veranderingen aanwijzen. Bergen worden vlaktes, om later weer bergen te worden. Dorre struiken veranderen in groene bossen. Molens verworden tot paleizen. En achter al die verandering is Chantal weer kilometers dichterbij.

Eenmaal binnen kleur ik mijn avond in tussen een wat saai gezelschap van gepensioneerden, een Amerikaans stel en een Spaans echtpaar. Wie denkt dat alleen acteurs op het doek kunnen schitteren heeft het goed mis. Om in een film te spelen hoef je niet te kunnen acteren, maar hoef je alleen een goede dosis fantasie en narcisme te hebben om in je eentje uit te kunnen pakken. Benodigdheden: een mooie, maar onopvallende jurk, klassieke hakken, een fles rode wijn, minimaal drie gangen en een omgeving om in weg te zakken.

Die kleur zit 'm in de smaak van de wijn, de tevredenheid in de gedachte dat ik heel wat dichter bij Chantal ben en de ontroering om de ober, die zich met zijn jonge jaren en eenzame blik onderscheidt van zijn collega's. Zijn plotselinge enthousiasme en ijverige handelen verhullen een leegte van een droom die ik denk te herkennen in zijn bewegingen.

'*Buenas tardes. Encantado. ¿Qué tomas?*'

'*Buenas tardes. Vino tinto, por favor. ¿Tienes una carta?*'

'*Si. Si. Aquí.*'

'*Gracias.*'

'*¿De dónde eres?*'

'*De Holanda.*'

'*¿Estás sola?*'

'*Si. Sola.*'

De camarero kijkt op. Een meisje in zijn categorie. Alleen. Op deze godverlaten plek.

'*¿Cómo te llamas?*'

'*Me llamo Sophie. ¿Y tu?*'

'*Soy Borja. Encantado.*'

'*Encantada.*'

De rest van de avond kijk ik toe hoe Borja zijn eenzaamheid verbergt achter zijn werk en vergeet door zijn aangewakkerde enthousiasme. De kloven in zijn handen vormen een schril contrast met mijn ongehavende en gelakte nagels. Ik voel bewondering voor de werkijver die al zijn bewegingen uitstralen, maar word ook wat verdrietig van de melancholieke bijsmaak van de droom die hem hier heeft gebracht en die zo weinig lijkt op de realiteit. Zoveel van het verloop van onze levens is al bepaald voordat we eraan beginnen. Terwijl ik hem gadesla, betreur ik het dat mijn goede bedoeling niet ver genoeg reikt om hem een nacht te geven die een welkome onderbreking zou zijn van de onverstoorbare tred van het trage bestaan dat hij leidt in dit landhuis. Onderbreking kan zo belangrijk zijn. Maar ik ben te veel verdiept in mijn eigen bestaan en ga alleen naar bed.

*

Terug in Heidelberg rijd ik dezelfde route als op de heenweg. Ik passeer het ziekenhuis, de parkeergarage, het hotel. Achter de balie staat dezelfde guitige jongeman, gekleed in hetzelfde gilet, met dezelfde hartelijke glimlach. Ik hoor dezelfde ouderwetse bel klinken en ik krijg dezelfde kamer toegewezen. Een vriendelijke herkenning in onze blikken, maar bij mij ook een treurige herinnering aan de dagen die zich hier hebben afgespeeld. Meteen bij binnenkomst vraag ik om een strijkplank en een strijkijzer, en tot mijn verrassing heeft de receptionist beide klaarstaan. Morgen neem ik dan echt afscheid van Chantal en dat wil ik met alle eerbetoon doen. Chantal hield niet van vouwen in overhemden, kreuken in jurken of vestjes met ontbrekende knopen, daar was ze te verzorgd en te neurotisch voor.

Ik eet aan dezelfde tafel, kruip aan dezelfde kant van het bed onder de dekens, en word gewekt door dezelfde vroegeochtendgeluiden. Met het enige verschil dat ik mijn dag niet in het ziekenhuis van Heidelberg begin, maar op de begraafplaats van Heidelberg.

We zijn met een klein en gemengd gezelschap. Het kerkhof is alles wat een kerkhof aan gedachten en gevoelens doet opborrelen. Het is leeg, stil en vooral doods. En het valt me op dat er veel groen is en dat de zon schijnt. Niet zoals je zou verwachten als iemand zegt dat de zon schijnt. Want als je denkt aan de zon dan denk je aan zee en strand en lachende mensen. Vooral van dat laatste is vandaag weinig te bekennen. Nee, vandaag niks dan stilte, om ons heen en ook op onze gezichten. Maar de zon schijnt en de lucht is blauw. Binnen in de kapel is het koeler dan buiten. Ik krijg kippenvel; dat zal wel een combinatie zijn van het lijk dat ik voor mijn vriendin moet aanzien en de ijzige lucht die om me heen hangt. Ik kijk, maar ik zie niks. Ik let op details, maar er blijft me niets bij. Het enige wat ik zie is de dood die me aankijkt vanaf het gezicht dat in geen enkel opzicht meer lijkt op de Chantal uit mijn herinnering. De kou grijpt me aan alle kanten vast, maar ik huil niet. Deed ik dat maar, zodat de kou via mijn tranen mijn lijf uit kon kruipen.

De ceremonie begint met een muziekkeuze van Chantal; ze heeft voor al haar dierbaren een compilatie van favorieten achtergelaten. We zijn met z'n vijftienen, onder wie twee artsen. Dat is niet veel voor een begrafenis. Dat is erg weinig voor iemand als Chantal die de hele wereld omhelsde. Maar toch is het zo. Vijftien. Het getal zegt even weinig over de persoon die zij was als over de personen die haar dierbaar waren. En tegelijkertijd zegt het een heleboel. Wat brengt de dood toch een berg aan paradoxen.

Op de kist liggen twee boeketten, waarvan eentje met een lint omwikkeld is met daarop de tekst BYE BYE, MY BUTTERFLY. FLY. Er gaat nog geen lampje branden. Ik bevind me immers op een begraafplaats, *Friedhof* zoals de Duitsers zo mooi zeggen, een plek waar tijd noch redenering voet in de aarde heeft. Een prachtige glimlach lacht ons toe, ook al valt er niets te lachen. Het is Chantal, die met lange blonde haren en stralende witte tanden vanuit een fotolijst op ons neerkijkt. Zou ze vandaag op ons neerkijken? Is ze erbij? Ik hoop het. Ik hoop meer en meer dat de dood deel van het leven is, net als de dood deel van ons allemaal is. Meerdere liedjes volgen elkaar op. Meerdere mensen spreken. Ook ik laat de kans niet voorbijgaan om in alle volledigheid afscheid te nemen. Als ik aan de beurt ben, sta ik op van mijn stoel en loop ik naar de kist waar ik al veertig minuten mijn ogen niet van kan afwenden.

'Op vrijdagochtend 13 april 2007 lag ik te denken aan wat ik Chantal wilde schrijven, in welke woorden ik mijn vraag zou gieten of ze me nog een keer wilde zien voor een ontbijt met twee gekookte eitjes. De sms bleef onbeantwoord. Maar drie minuten na versturen ging mijn telefoon. Het was het telefoontje dat de nacht scheidde van de dag en dat die dag met hard geluid en een nieuwe werkelijkheid inluidde. Drie woorden zijn me bijgebleven:

Chantal.
Gisteravond.
Ingeslapen.'

Ik spreek en voel mijn wangen nat worden. Onhandig veeg ik de tranen en het snot dat als een stille waterval uit mijn neus komt lopen, uit mijn gezicht met de mouw van mijn zwarte vest.

'Chantal en ik hebben elkaar anderhalf jaar geleden, op 21 december 2005, ontmoet in een café in De Pijp. Die ging ze nog lang niet uit, grapte ze; ze woonde er immers pas net. We waren toen allebei ziek, kanker, met het grote verschil dat mijn kansen met elke scan verbeterden en die van Chan verslechterden. Ontspannen stak ze haar tweede sigaret op. Het was nog rustig, er waren slechts drie tafels met glazen, asbakken en brandende kaarsen gedekt. Ze lachte en nam een slok van haar witte wijn. Ik begreep de sigaret niet, en de wijn ook niet, totdat ze me vertelde dat ze terminaal ziek was. Toen begreep ik dat ik naar een genieter keek, een overwinnaar.

In die paar uur deed ze me lachen, slikken, vol aandacht luisteren en mijn tranen stiekem komen en verbergen. En op al deze momenten gaf ze me kippenvel terwijl de gedachte aan een lege stoel voor mij me niet meer losliet. Ongeneeslijk ziek. Genieten. Ongeneeslijk ziek. Schoenen kopen. Ja, dat was het eerste wat ze deed, om zich vervolgens af te vragen of ze er nog wel zou zijn om haar nieuwe zolen eraf te lopen. Kippenvel.

De stoel is al zes dagen leeg.

Chantal was een kanjer in leven voor die mensen en die dingen die bleven, ook al bleef er steeds minder over. Haar ziekte heeft haar het leven ontnomen, maar in zekere zin ook het leven gegeven. Want als de dood dichtbij komt, leef je. Veel minuten worden je ontnomen, maar ook veel minuten worden je gegeven, omdat iedere minuut de jouwe is. Je geniet van de strepen op de lakens, van het dons in een kussen, van een broodje döner, een gekookt ei of een warm bad. Voor ieder ander niet meer dan een ritme, een herhaling, een gegeven. Maar voor Chan de hoofdprijs.

We hebben gehuild en gelachen, ook al deed ik het huilen nog steeds stilletjes en geheim. Zij had al voldoende tranen. Op dezelfde toon als waarop ze sprak over haar kist of haar rouwkaart, vertelde ze me dat ik altijd een riem moet dragen door mijn spijkerbroek, vochtige doekjes bij me moet dragen voor na het poepen, en bovenal op mezelf moet vertrouwen. Haar humor is ze nooit verloren. Evenmin haar persoonlijkheid, die mij – en ik denk iedereen van wie ze hield – zoveel heeft gegeven.

Lieve Chan, ik kan alleen maar hopen dat ik jou net zoveel heb gegeven als jij mij. Het is 31 maart en we nemen afscheid van elkaar, met twee gekookte eitjes. Dertien dagen later, op de middag na jouw sterven, zegt een blauwe vlinder gedag.'

De dag duurt lang. Iedere seconde staat net wat langer stil. De wijzers tikken langzaam door onder het zware gewicht van onze emotie. Elke minuut wordt bepaald door de afwezigheid van Chantal. Vreemd, hoe zo veel afwezigheid zo aanwezig kan zijn. De verbondenheid die het kleine, intieme aantal mensen met wie we afscheid nemen van onze vlinder voelt is zo sterk om de grote afwezige heen vervlochten dat ze bijna tastbaar is, zo dichtbij. Ze is weg, maar tegelijkertijd is ze heel erg hier in de nieuwe relaties en gedachten die vandaag geboren worden. De wereld voelt leger aan, maar de horizon, de waaiende bomen en de kleuren van het eten op mijn bord zijn voller en feller. De muziek, de foto, de ruimte, Heidelberg. *Fly, my butterfly.* En dan gebeurt er iets vreemds. Mijn oog valt op de lichtblauwe trui van een van de vrienden van Chantal. Mijn hoofd dwaalt af naar de blauwe vlinder die vijf dagen geleden in rondjes om mijn pen fladderde. Wie was die vlinder die op mijn hand kwam zitten en daar bleef zitten, en een sprongetje maakte en een dansje in de lucht en weer op mijn hand kwam zitten, en toen wegvloog en verdween in de grote blauwe lucht, alsof ze me iets wilde vertellen? Alsof ze me gedag kwam zeggen. Ik vang een flard op van een gesprek naast me, iets over een vlinder en een tatoeage.

'Ken je het verhaal van de vlinder niet?'

'Nee.'

'Chantals beste vriendin heeft een vlinder op haar pols laten tatoeëren nadat ze haar vader verloren had. Toen ze afscheid namen van elkaar in Heidelberg wist ze dat het tijd werd voor de rest van de tatoeage, een tweede vlinder.'

Mijn gedachten gaan terug naar de middag dat ik de vriendin voorovergebogen over het bed van Chantal afscheid zag nemen. Ik verdween toen geruisloos naar de gang, maar ving nog iets op over een vlinder. Dat was ik helemaal vergeten, het schiet me nu pas te binnen.

'Toen ze vanmorgen aankwam op de begraafplaats stond de tweede vlinder op haar pols.'

Opnieuw schieten me allerlei beelden voorbij. De vriendin, die vanmorgen naast me zat in de kerk, bij wie ik op de pols een stukje tatoeage onder de mouw van haar colbertje uit zag komen. Een stukje vleugel. Ineens slaat alles in. Chantal in haar kist, in een lichtblauw overhemd. De vlinders, in het boeket op de kist en op de pols van haar hartsvriendin. De blauwe trui. Ik verschuif op mijn stoel en heb het koud. Een nog onbekende hand sluit zich om de mijne en bedekt mijn blote benen met een zacht colbert. De tederheid van het gebaar verwarmt onmiddellijk mijn bevroren huid. Vandaag voel ik pas dat Chantal mij maanden geleden in haar armen heeft gesloten. Ik speel geen rol, ik ben de vriendin naar wie ze al die momenten verlangde.

Dan verbreek ik de stilte: 'Ik heb Chantal gevraagd om mee te denken over de titel. Toen ik wegreed had ik niet gedacht dat ze me die nog zou kunnen geven.'

Er is een lege plek aan tafel. Maar geen lege stoel. Een nieuw iemand is aan tafel geschoven, een nieuwe bewoner is op haar stoel gekropen; de dood. En het gesprek gaat door.

*

Stel je voor. Stilte, slechts het zachte geluid van de wind door de bladeren. Een bloem, een grote witte roos, verder niets. Een vlinder, lichtblauw, dansend tussen de bloem en de lucht, de lucht en de bloem, en weer vind ik het vreemd dat een dag zo lang kan duren, en het leven zo kort. *Bye bye, my butterfly. Fly.*

*

De regen blokkeert mijn zicht. Het laatste stukje Chantal samen met de zon achtergelaten in Duitsland, rijd ik mijn eigen Odessa in Frankrijk tegemoet. Het is donker en het natte weer belemmert me het zicht op de oude mooie stad. Of zou het de liefde zijn die me van mijn scherpe blik heeft beroofd? Met een bonkend hart rijd ik het centrum van Nancy binnen, op zoek naar de lifter die naar zijn Odessa op weg is.

De vorstelijke entree van het hotel doet me denken aan de koloniale bouw van het ziekenhuis in Heidelberg. De piccolo boven aan de trap lijkt op de begrafenisondernemer van vandaag. De warmte van de open haard betrapt me op de kou die ik uit Duitsland heb meegebracht. De afbeelding van de vlinder die erboven hangt. Het silhouet van Timo, benen over elkaar, hoofd half verstopt achter een opengeslagen krant, bevestigt het verhaal dat vandaag beëindigd is. Alles wijst terug naar toen, naar toen Chantal is opgehouden met bestaan.

Timo kijkt op en houdt me een lang moment in zijn armen. We hoeven niets te zeggen. Niet nu althans. Soms zeg je meer met liefde zonder vragen dan met woorden zonder antwoorden.

We negeren allebei het brandende vraagteken dat tussen

onze borden in staat te springen om een antwoord. Timo bestelt een fles wijn en laat mij wat uitkiezen van de menukaart. Het wordt *soupe au pistou* met twee lepels en een fazant en een stukje vis met twee vorken voor daarna. Even is het als vanouds, alsof ik nooit ben weggereden en alsof er nooit gezegd is dat hij twijfels heeft en nog van zijn vrouw houdt. En even is dat alles wat ik nodig heb.

Het is nacht en het is leeg op de Amsterdamse ring, op een blauwe Seat na. Thuis is al in zicht; de lichtjes van Schiphol schitteren ons tegemoet. We rijden de parkeerplaats op, waar de leen-Porsche klaarstaat om hem terug naar huis te rijden; zijn vriendinnetje was er immers met zijn auto vandoor. Als hij in de Porsche stapt richting IJmuiden en ik terug in de Land Rover klim richting Jordaan, begint vanouds al een beetje op te houden met bestaan.

Nu is de ring echt leeg; de Seat is verdwenen. Ik speel met al mijn lichtjes. Mistlicht, waarschuwingslicht, groot licht, knipperlicht. De Porsche reageert met zijn rechterknipperlicht op mijn linkerknipperlicht. Zo rijden we een tijdje naast elkaar, de lichtzee van Schiphol nog een paar kilometer met ons meevoerend. Totdat afslag Haarlem in zicht komt en dan echt vanouds is, zonder dat ik me daar al bewust van ben. Hij zegt gedag met zijn linkerknipperlicht.

*

Meerdere handen glijden over mijn lijf. Ze voelen koud aan, maar mijn lijf nog kouder. Ik heb mijn ogen geopend, maar kan het ene donker niet van het andere donker onderscheiden. Er ligt een doek tussen. Gedrapeerd over mijn hele lichaam, van mijn tenen tot mijn kruin. Diezelfde doek scheidt de stilte van mijn ruimte van die van het rumoer eromheen. Ik probeer de scheiding te doorbreken, maar hoe zwaarder ik mijn armen en benen maak om te bewegen, er gebeurt niets. De kracht is verdwenen, weg. Het is alsof er een koude mist over mijn lijf is getrokken die alle kracht, alle warmte, eruit heeft gezogen. Ik open mijn mond in een poging de stilte te overschreeuwen. Niks dan de doffe klank van een hap in de lucht en het geluid van het geschuif van mijn nat geworden wimpers. En niemand die er blijk van geeft op een of andere manier deel te zijn van mijn inspanningen, van mijn wereld die zich stilletjes in het donker afspeelt.

Ik voel mijn spieren verslappen alsof ze gevangen zijn geraakt in een krachtige stroom in een woeste rivier, steeds verder weg rakend van het land, dat maar een paar meter verderop in de zon ligt te schitteren. Een gevoel van totale machteloosheid trekt over me heen.

Boven de doek hoor ik de kleppers van de zusters over het linoleum heen en weer rennen. Het geluid herinnert me aan de piepende zolen van mijn gymleraar op de basisschool. Net zo plotseling als dat het geluid me heeft opgezocht, houden de kleppers op te bestaan.

Even is het stil.

Een deur die open- en dichtzwaait. Een zware stem, ik kan niet goed verstaan wat hij zegt. Iets chirurgisch. Ik hoor knoppen die versteld worden en signalen die piepen om aandacht. Klinkende metalen en het schuiven van zware voorwerpen. Maar bovenal hoor ik het gebrom van een koeling. Een heel grote koeling. En er is niemand die me hoort schreeuwen, zelfs Timo niet.

Rillend word ik wakker. Alles voelt koud: de lakens, de plakkende haren in mijn nek, mijn knieholtes. Alles is nat. Nat van zweet. Nat van tranen. En doorweekt van de koude nasmaak die de laatste minuten bij me hebben achtergelaten. *Griezelig hè, dat ik daar straks tussen lig.*

Griezelig, en vooral ook heel alleen. Het lijkt wel alsof de dood me niet meer los wil laten, nadat hij me zo stevig, van beide kanten, omhelsd heeft. Ik zit gevangen in een ander perspectief, eentje dat niet hoort bij de dromen van een meisje van vierentwintig. Ik blijf me vastklampen aan het leven op niet meer dan een armlengte afstand, want om te hopen dat er weer meer is, moet ik weglopen van de veiligheid van verwachtingsloosheid, voorbij mijn angst. Hoop vraagt om lef. En lef vereist het juiste moment.

Ik kijk naast me, naar de plek waar de blonde haren van Timo normaal door de war liggen. Het kussen is leeg. Ik hoef niet lang na te denken op welk kussen hij wel ligt.

Een kier van het gordijn laat zien dat het buiten pikkedonker is, op een dun straaltje licht van een lantaarnpaal na, dat door de kier van het gordijn naar binnen glijdt en bewegende schaduwen op het lege kussen tekent. De klok wijst halfdrie in de nacht aan. Een koud verdriet kruipt geruisloos, als een onvermoeibare bacterie, bij me naar binnen en kleurt alles voor mijn ogen grijs. Met het verstrijken van de minuten verdwijnen de roze blosjes van mijn wangen en verkleuren ze grijs.

Hij is niet thuisgekomen en ik lig hier in een nieuw lingeriesetje als verrassing voor hem in bed.

Au.

De herinneringen kruipen als elektrische schokjes over mijn armen en trekken mijn haartjes recht overeind. Ik staar voor me uit, over de haven van IJmuiden, waar de masten met evenveel zijn als de herinneringen die mijn gedachten vullen. Ze flitsen als een film voorbij, om vervolgens te vervagen tot de schimmen die ik op het water zie bewegen. Misschien hadden we allebei gewoon een goede filmscène nodig. De filmscène van een roze bloemetjesjurk en een wit overhemd. En is die scène nu voorbij.

Voorzichtig sla ik de dekens van me af en stap ik uit bed. Ik denk aan mijn handen die zo graag zachtjes kietelen over het warme lijf dat gewoonlijk naast me ligt. Over het lijf dat wanneer het het mijne raakt alles raakt. Niet alleen mijn haartjes, maar ook al mijn gedachten en gevoelens. Een tijdje zit ik daar te kijken naar het kussen, waarvan ik eens had gedacht dat het er altijd zou zijn. Maar altijd is een lange tijd en de tijd heeft zo zijn manier om alles te veranderen.

Even voorzichtig als ik door de kamer sluip, in het merkwaardige idee dat ieder geluid het moment bevestigt, schijnt de lente vanachter de snel bewegende wolken door de ramen van zijn slaapkamer naar binnen en danst zachtjes door de kamer op de beweging van de gordijnen. Smalle stroken licht kruipen over de houten vloer, langs de muren naar boven, naar het plafond toe, om weer te verdwijnen en op het vloerkleed terug te komen. Dan verdwijnt de lente even plotseling als ze voorbijkwam en rukt er een harde wind langs de ramen. Met vochtige ogen glijd ik in mijn spijkerbroek en raap ik mijn spullen bij elkaar.

Niets is sterker dan het moment.

Eén woord vult de ruimte.

Weg.

Alles trekt me uit zijn slaapkamer weg. Weg uit de verstikkende ruimte van de dood die in te veel gedaantes is langsgekomen. En weg van de hoop om samen met Timo een mooier leven te kunnen beginnen, die me uiteindelijk alleen maar herinnert aan de droom die ik eerder, ergens onderweg, ben kwijtgeraakt.

De wind slaat de oude, zware deur van het huis met een klap achter me dicht en blaast het laatste restje angst en onzekerheid, het laatste restje Timo, met een harde ruk weg. Ik ben bang geworden voor de kou. Het herinnert me aan alles waar ik niet aan herinnerd wil worden. Aan de hagelbuien en sneeuwstormen die ik voorbij ben, maar waarvan ik de plakkerige damp nog steeds langs mijn hals voel druppen en op mijn schouders draag. Ik hou meer van een warme lentewind, die uit allerlei richtingen allerlei verhalen met zich meevoert, en zo de hoop en liefde, waar we allemaal niet genoeg van kunnen hebben, nieuw leven inblaast.

Als mijn leven een schaakbord zou zijn, dan zouden een paar extra lessen geen weggegooid geld zijn. Ik ben zojuist verslagen, schaakmat, al mijn stukken liggen plat, aan de randen van het bord. Ik sta aan het begin van een nieuw spel. Laat ik ze liggen of raap ik ze op?

Het gebeurde slingert als een Japanse tourbus door mijn gedachten – zo een die op iedere straathoek stopt voor een ultiem Kodak-moment –, het verdere verloop van mijn dag bepalend. De enige reden dat ik nu altijd een riem draag in de kleur van mijn schoenen en vandaag mijn dag begin in een rood-wit Brigitte Bardot-ruitje, komt doordat Chantal is opgehouden te bestaan, en mensen of dingen die ophouden te bestaan laten sporen na. Al is het alleen maar om via herinneringen, gewoonten en geruite bloesjes vast te kunnen houden en uiting te geven aan de liefde die ik in me draag, maar niet meer kan omhelzen. Chantal heeft meer achtergelaten dan vochtige toiletdoekjes en BB-ruitjes. Toen ze klaar was om te sterven en mij deel maakte van dat proces, heeft ze mijn dagen waarvan zíj geen deel meer zou uitmaken ingekleurd.

Simpelweg door dood te gaan en de scheidslijn van leven en dood, keuze en acceptatie, mogelijkheden en grenzen, te onderstrepen. Toen Chantal nog leefde, was ze een van mijn redenen om voor te leven. Nu ze is gestorven geeft ze me alleen maar meer reden om te leven. Net zoals Siddhartha vertrouwde op de laagvliegende reiger met wie hij meevloog over het bamboebos, over het woud en de bergen, zoals hij dorst had als een reiger, at als een reiger en stierf als een reiger, zo fladder ik mee op de vleugels van Chantal, op de laatste woorden die ze tegen me zei: 'Ga, Sophie, en vertrouw op jezelf.'

De dood van Chantal valt samen met een nieuw begin voor mij. Met een lege, nieuwe dag, waarin mijn behoefte om te verkennen en te ontdekken geruisloos verschuift naar de behoefte om lief te hebben en geliefd te worden. Deze wisselwerking is allesoverheersend, want liefde die zijn bestemming niet bereikt blijft als een dwalend stofje in de lucht hangen, totdat het tegen een muur aan dwarrelt, en alle dans uit zijn beweging verliest om op zijn plek terecht te kunnen komen. En daar, in dat stofje, begint mijn nieuwe reis. Shakespeare heeft eens geschreven dat de reis eindigt waar de liefde gevonden wordt. Mijn reis begint waar de liefde zoek is geraakt.

Je kunt niet een pagina uit je leven scheuren,

maar een boek is zo verbrand...

GEORGE SAND

• •

Nobody can go back and start a new beginning, but anyone can start today and make a new ending.

MARIA ROBINSON

'Dutch writer looks ASAP*! for a longtime city apartment exchange. Apartment offered is located in the center of Amsterdam, in Jordaan. It's 50 square meters and has a roof terrace. See pictures.'*

Het eerste huis dat me aanspreekt ziet eruit alsof het door een dromend meisje van tien getekend is. Weggestopt achter een paar hoge platanen en overschaduwende takken staat het droomhuisje midden in het groen. De kozijnen zijn lichtblauw geverfd, de houten voordeur donkergroen. Het dak is plat, en afgemaakt met een mooie balustrade langs de gevel. Aan beide uiteinden is een klein uitbouwtje van heel kleine ruitjes gebouwd, waarschijnlijk te klein om in te bewegen, maar misschien net groot genoeg om vanachter naar buiten te gluren. De voorkant is links dichtbegroeid met klimop, waardoor het altijd een mysterie zal blijven wie er achter de andere kant van het raam beweegt.

Het huisje lijkt zo uit een film van Jane Austen te komen. Achter de betovering van mijn computerscherm zoem ik in op mijn droom. Het beeld wordt steeds kleiner, totdat er nog slechts een groen geschilderde voordeur met een opgepoetste koperen deurknop op het scherm achterblijft. Zo dichtbij en zo betoverend, dat ik vergeet dat er een computerscherm, 10.000 kilometer en maandenlang dwalen tussen zit. Zo dichtbij, dat ik Emma Thompson al zie zitten lezen achter het keukenraam. En zo dichtbij, dat ik op zoek ga naar een koffer.

De meeste huizen die op deze website worden aangeboden staan net als the cottage van Emma Thompson ver weg op het platteland tussen de koeien en de bomen. Bestemmingen die je hart sneller doen kloppen aan de zijde van een geliefde of een goodwillmodel, maar het even gemakkelijk doen verschrompelen als je er in je eentje aankomt en er een paar kaplaarzen in de gangkast schoon en ongedragen blijft. En ik heb nu meer nodig om mezelf uit de kreukels te halen dan een zingende parkiet of de serenade van een zacht tsjirpende krekel, zodra de nacht als een zwarte deken over me heen trekt en in het raadselachtige donker het alleen zijn verandert in eenzaam zijn. En dat is wel het laatste wat ik op mijn verlanglijst heb staan.

Het is donker en het regent. De sfeer van deze combinatie sluit naadloos aan op het grauwe en onbestemde gevoel waarin mijn lichaam me gevangenhoudt. Naarmate het buiten steeds harder begint te regenen en de regen steeds harder tegen de ramen slaat, word ik met iedere foto die ik op mijn beeldscherm open wanhopiger. Ik ben moe, maar veel te rusteloos om op bed te gaan liggen. De minuten gaan tergend langzaam voorbij.

Achtendertig minuten. Geen reactie.

Drieënvijftig minuten. Nog steeds geen reactie.

Anderhalf uur. Niets. Hoe lang zou het duren voor er een reactie binnenkomt? Dagen? Weken? Zo lang kan ik toch niet wachten?

Drie uur en drie koppen koffie later. Nog altijd niets.

Zóu er wel een reactie komen?

Ik ga naar bed.
En sta op.
Sinds mijn oproep zijn er vier uur verstreken. Niks. Bah.
Ik ga weer naar bed.
En sta weer op.

'Hola Sophie. I was just looking for a rental place when I read your message. Are you interested in living in Buenos Aires, Argentina? My place is a 40 square apartment in San Telmo. It's not big but it has a nice balcony. I can send you some pictures if you like.

I'm currently in France, Lille, home to one of Europe's biggest antique markets. After so many years of wheeling and dealing – I collect and deal in antiques – have I collected a whole load of stuff here. I'm leaving to Belgium on Thursday to pick up some cupboards and...'

Ze schrijft dat ze negenenveertig is en Maria heet. Dat ze graag een paar maanden op een vaste plek wil zitten, dat ze vijftien jaar geleden een enkele maand in Amsterdam heeft gewoond en graag teruggaat om wat oude vrienden op te zoeken. Dat ze zich de Haarlemmerstraat nog wel herinnert. Dat ze tijdens haar verblijf in Amsterdam zo graag naar de Noordermarkt ging. Of het kleine café op de hoek er nog is, met die stille eigenaar, waar de gasten 's ochtends vroeg niet veel verschillen van de gasten 's avonds laat. En of zijn zoon het inmiddels heeft overgenomen. Dat is inderdaad gebeurd. En of ik van honden hou, omdat ze in Buenos Aires twee honden heeft, die nu verzorgd worden door haar vriendin Tanya, maar dat het haar eigenlijk wel goed zou uitkomen als er iemand in haar huis komt die ook de planten water kan geven en de honden van Tanya deels kan overnemen, omdat ze niet had gedacht zo lang weg te blijven. Herdershonden.

'Of course not fulltime. The dogs have a mind on their own, as you might know. But if you do like dogs it would be a great solution. I'm not handing them out to just everyone, but I googled you and I can tell you have a sweet smile.'

Mij gegoogeld? Een moderne *gypsy*, die ik aan de haak heb geslagen. Dat herinnert me er meteen aan dat ik geen idee heb wie ik in mijn huis uitnodig, op haar woorden na dan. Best griezelig. Was er geen kannibaal in Duitsland die op deze manier zijn maaltijden op internet bestelde?

Sinds mijn eerste vakantie hebben mijn ouders mij en Zus van de ene huizenruil naar de andere huizenruil gesleept. Een soort luxe vorm van avonturieren; het is iedere keer weer een gok of de foto's in de gids op de foto's van je vakantieprints aansluiten. Toch kan ik me geen een keer herinneren dat het echt mis is gegaan. En thuis is de boel ook nooit afgebroken, op één onthoofde barbiepop na dan, die nu onder de grond ligt. Ik vind het eigenlijk wel een mooi systeem; juist omdat het enige fundament berust op het vertrouwen in de ander. En uit Maria's uitnodiging blijkt dat dat een goed is dat ik nooit mag verliezen.

Verder schrijft ze dat ze net achter de Plaza Dorrego woont, en dat men zegt dat de stad het mooiste is in de lente, maar dat zij het meeste van Buenos Aires in de herfst houdt, omdat de hele stad met al haar bomen dan gehuld is in de vurige kleuren van het najaar. En vraagt ze hoe lang ik denk te blijven. En of ik dit al eerder heb gedaan. Ik schrijf haar een even enthousiast en lang verhaal over mijn ervaringen terug en zelfs een beetje over wie ik ben en waarom ik zo graag weg wil. In het perspectief van het goede vertrouwen zeg maar. De aanbieding van Maria is immers een open ticket om in alle anonimiteit te vertrekken en aan te komen.

'Hola Maria. Buenos Aires together with two dogs sounds perfect. When can I come?'

Als ik 's ochtends wakker word na maar vier uur slapen en drie uur piekeren vult de gedachte aan deze grote, onbekende stad, op 11.399 kilometer afstand, waarin ik al mijn sporen nog uit moet zetten, me met een verliefdheid die de vogels op het binnenplaatsje achter mijn huis net wat harder doet zingen, de wind door de bladeren net wat langer laat ruisen en de bloemen net wat zoeter doet ruiken. Maar 's avonds verdwijnen die kleuren en geuren met het licht van de dag en word ik overspoeld met twijfels die met wilde tandjes aan deze jonge verliefdheid knauwen. En waar te beginnen? Inpakken voor een nieuw leven heb ik nog nooit eerder gedaan.

Met de stem die me vanmorgen wakker heeft gezongen nog in mijn hoofd, en de stilte van de avond om me heen, besluit ik me in te stellen op een paar weken vakantie naar een land waar het de ene dag heel koud is en de andere dag heel warm. Dat maakt het inpakken minder moeilijk. Algauw kom ik op een collectie kleding die zowel voor de zonnige pampa's als voor het koude Patagonië geschikt is. Met snelle, soepele bewegingen pak ik mijn koffer in. De stapeltjes kleding worden steeds lager, de benodigdheden steeds minder. Twee mooie jurken, een paar hoge pumps, een goede spijkerbroek, een warme trui, een paar bikini's en mijn sportschoenen. De rest vul ik daar wel aan. Hoe minder er van huis meegaat, hoe beter.

Met de harde werkelijkheid van kamer 348 voor ogen en in de dringende gedachte dat spiegelbeelden altijd blijven veranderen, laat ik Amsterdam achter zonder Timo en zonder plannen, maar met Siddhartha en het vurige verlangen te leven. Leven. Leven. Leven. Kilometers maken. Leven in de meest verstrekkende belofte van de theatrale klank die het woord eigen is. En gezien ik geen afspraken heb om te volgen, betekent leven voor mij maar één ding: mijn dromen najagen.

'Hé Zus.'

'Ha, lief. Hoe is het met je?'

'Ik ben onderweg naar Schiphol.'

'O? Ga je naar Spanje?'

'Nee. Ik ga een tijdje naar Buenos Aires.'

'Buenos Aires als in Buenos Aires in Argentinië?'

'Ja.'

'Wat ga je daar doen?' Zus klinkt enigszins verontwaardigd.

'Op huizenruil met een vrouw die Maria heet en net als mam in antiek handelt.'

'Hoe lang blijf je weg?'

'Geen idee. Lang.'

'En Timo dan?'

'Ik ben weg bij Timo. En om dat te blijven, moet ik ook even echt weg,' antwoord ik nog niet helemaal overtuigd van mezelf.

Zus zucht. 'Ik begrijp het. Goed dat je bij hem weg bent. Zorg goed voor jezelf, lief. En check volgende keer even of hij niet getrouwd is.'

'Doe ik.'

Mijn ogen schrikken open van het bonkende geluid van de wielen die de landingsbaan raken. Ik stap uit in São Paolo, waar ik twee uur moet wachten zonder Amerikaanse dollars, Braziliaanse reals of Argentijnse peso's om de honger in mijn maag te stillen en de dorst in mijn verdroogde keel te kunnen lessen. De entreehal, waar mogelijk nog wel een wisselkantoor open is, blijkt geen optie als ik naar de lange rijen voor de douane kijk, die ik met mijn transfervlucht omzeild heb. Er zit niets anders op dan de vriendelijkheid van de Brazilianen in de viplounge van de KLM uit te proberen. Met verkreukelde oogjes en warrige haren zet ik mijn mooiste glimlach op en vraag ik in mijn beste Portugees – dat bij *obrigada* blijft steken – of ik alsjeblieft even van het internet gebruik mag maken, met een excuus over vluchtschema's en dergelijke. Het lukt. Binnen vijf minuten heb ik mijn honger en dorst aan het buffet gestild en zit ik te *skypen* met Milan in Bergen aan Zee.

'En, heb je het al gevonden, meisje? Goh, je ziet er wel een beetje verkreukeld uit. Waar ben je nu?'

'São Paolo-vliegveld. Wat een ongezellige toestand is het hier.'

'São Paolo moet een van de ergste vliegvelden zijn om vast te zitten. En de stad is ook verschrikkelijk. Nils heeft er veel op gevlogen.' Nils is de man van Milan en vliegt al twintig jaar voor de KLM. Als de kans zich aandoet, vliegt ze mee in de cockpit. 'Ik ben er ook eens geweest. Ik zou voor geen goud met je ruilen.'

'Ook niet voor dertig graden en teenslippers?' Milan is erg gevoelig voor teenslippers.

'Niet in São Paolo. Moet je lang wachten?'

'Nee, niet lang meer. Ik ga maar eens beneden in de rij staan.'

'Je ziet er beetje sip uit. Heb je het wel naar je zin?'

'Hier op het vliegveld? Nee.'

'Heb je wel zin in je reis?'

'Dat wisselt iedere seconde van ja naar nee.'

'Zorg maar dat je goed slaapt vannacht. Dat helpt altijd. Hoe laat is het daar eigenlijk?'

'Vijf uur vroeger.'

'O, vandaar, dan kruip ik weer terug in mijn bed als je het niet erg vindt.'

Het is donker buiten, er lijken wat schimmen over het terrein te bewegen, maar verder zie ik niet meer dan vliegtuigstaarten en landingsbanen, die er over de hele wereld hetzelfde uitzien. Het is 00.30 uur lokale tijd. We landen nog net voordat het nachtleven ontwaakt.

Ik heb een nieuw telefoonnummer, eentje dat begint met +54, en voel me eventjes, iedere nieuwe minuut dat Timo niet meer bij me is, de vrouw die ik het liefst ben maar te lang niet gezien heb in de spiegel: vrij, vrolijk en ongecompliceerd. Bij het opstijgen van het vliegtuig op Schiphol hebben al mijn spieren zich samengetrokken, een brok spanning achterlatend. Landen, ik moest er niet aan denken. Maar met het openen van de voordeur van Maria, open ik de ruimte die nodig is om op mijn impulsieve vlucht te vertrouwen in plaats van hem te vrezen. De drift die me naar de andere kant van de wereld gebracht heeft voelt, zonder te zeggen waarom, om een geheimzinnige onbekende reden, als de beste stap die ik de laatste maanden heb gezet. Het geeft me een bestemming. Iets om aan vast te houden. En het helpt me de wildernis van thuis voorlopig te ontlopen. De strijd tussen angst en vertrouwen die me de hele reis hiernaartoe heeft vermoeid, lijkt voorlopig gestreden te zijn.

De vrouw die me vanuit de spiegel terugkijkt is geen andere vrouw, en ook geen gevolg van wat eens noodzaak was, mijn ziekte verstoppend voor de buitenwereld onder een verkleedkast van pruiken. Ook al klinkt het me onbezonnen en naïef in de oren, ik voel me vrij. Hier, in een vreemde omgeving, lukt het me me te verschuilen achter een masker van anonimiteit en haal ik mezelf weg uit het emotionele spinnenweb waarin ik thuis gevangen ben geraakt.

Plotseling word ik overmand door een onverwacht gevoel van geluk, hoewel ik gehuld in een mantel van verdriet ben weggegaan. Thuis ben ik een volgeschreven boek, maar hier ben ik niet meer dan een blanco pagina. Want hier weet niemand waarom mijn ogen soms bruin zijn en soms groen, of hoe laat ik opsta en waarom. Hier kan ik alle kanten op die ik wil.

Op reis gaat het me beter af in mijn eigen film te spelen dan thuis. Het is de film die het verhaal vertelt van het meisje dat ronddwaalt in de doolhof die leven heet en niet meer haar weg naar huis kan vinden. Onderweg komt ze van alles tegen. Schatkisten die haar ogen verblinden. Draken die haar een andere kant op jagen. Sleutels van deuren die ze nog nooit eerder gezien heeft. In deze film ben ik Xena, de Warrior Princess, thuis ben ik niet meer dan haar linkerhand. Ergens in die doolhof ben ik verdwaald en loop ik niet meer vooruit maar ben ik in rondjes blijven cirkelen tussen de wereld van de dood en de wereld van het bestaan. De stortvloed aan gebeurtenissen die mijn leven zijn binnengestroomd stromen sneller dan mijn gedachten kunnen bijhouden, al mijn verworven waarheden meevoerend naar een veel te onrustige zee om in te zwemmen. Mijn zicht is vertroebeld en mijn denken verward van al het nieuwe wat er is, maar nog meer van al het oude wat er niet meer is.

Daarom hou ik zo van vertrekken, want reizen helpt me mijn gedachten uit te denken, zonder onderbroken te worden door de banaliteiten en verwachtingen die een dag maken tot wat die is, en omdat ik dan zonder schroom een hekwerk van zogenaamde belangen om mij heen kan bouwen. Maar het meest hou ik nog van reizen omdat ik, al struinende door het leven, dan niet betrapt kan worden op de afstand tussen mij en het leven buiten op straat die met de dag dat ik niet weet wat ik wil, waar ik heen ga of waarom, groter lijkt te worden.

*

Het is warm in Buenos Aires. De warme wind van de Argentijnse nazomer waait me nog op iedere straathoek tegemoet. Het is ook groot in Buenos Aires. Groot en veel. De straten doorkruisen de hele stad, een oppervlakte van achttien keer Amsterdam. Men heeft het hier dan ook niet over lanen of Hauptstraßen maar over *avenidas*. Oversteken doe je niet achteloos tussen rood en groen door, maar geduldig, wachtend op het groene licht, dat je veilig naar de overkant van de zesbaansweg leidt. De pleinen brengen je terug naar de grandeur van eerdere tijden, naar toen de Argentijnen nog floreerden in bontjassen en rondreden in Ducati's. Nu zijn het geen Ducati's maar oude Amerikaanse bakken die het straatbeeld bepalen. Oude Chevy's, Chryslers, Pontiac GTO's, Studebakers, Buick Electra's en grote Fords. Althans, dat zijn de auto's die je het liefste ziet, en als je een beetje geluk hebt. Er rijdt ook een hoop oude vieze zooi rond.

Het leven bruist in de chique straten van Recoleta, maar ook tussen de oude, charismatische pandjes, opgeknapt met geld van jonge ondernemers, in de groenste wijk van de stad, Palermo. Het aantal straten waar je in kunt lopen is oneindig, net als het aanbod van kleine ondernemers en eerlijke ondernemers als smeden, schoenmakers, kiosken, lullige communicatiecentra, bakkers, kleermakers, wasserettes, cafés en restaurants en nog veel meer onbeduidende handeltjes.

De contrasten zijn groot. De indrukken wisselen tussen imposante panden van de oude chic en de vervallen villa's, die begroeid met klimop het decor van Hitchcock echt maken. Tussen de minkjassen in de etalages en de arme artiesten buiten op straat. Er bestaat een wereld van verschil, maar iedereen in deze stad, rijk of arm, is overlever van de straat. De politiek en economie zijn even onberekenbaar als het verkeer, dat bijna volledig ingenomen lijkt te zijn door de taxichauffeurs. Er rijden er zoveel, dat het wel eens de grootste banensector zou kunnen zijn in Buenos Aires; samen met de trucks bepalen de taxi's de doorgang van het verkeer.

Buenos Aires, de stad van Evita en Juan Perón. De stad van het machisme waaronder hij uiteindelijk zelf bezweken is. De mislukking staat nog in vele hoeken gekrast. De Europese architectuur, die Buenos Aires als het 'Parijs van het Zuiden' in de boeken heeft geschreven, gaat schuil achter een treurig waas van verval. In elkaar gezakte gevels die het gevecht tegen de armoede verloren hebben en zwaarmoedig boven op de huizen steunen. Koepeldaken die hangen aan een laatste stukje volhoudend fundament. Monumentale panden die niet meer bewoond worden door een moeder in een mantelpakje met een bontkraag, maar door om zich heen grijpende takken en lianen van een uit de klauwen gegroeide klimop. Overdag gaan de avenidas verborgen onder een teveel aan reclameborden van vrouwen in lingerie, cola drinkende modellen en poserende jongemannen met dezelfde aseksuele uitstraling als de hedendaagse Tom Cruise. 's Avonds, als de bewoners allemaal achter de veiligheid van hun huizen zijn verdwenen, komen de hongerige zielen van de nacht tevoorschijn, die al het vuilnis doorspitten op karton en plastic flessen. Lang leve de recycling.

Hetzelfde gewicht van mislukking leunt op de schouders van de Argentijnse bevolking. De gruweldaden van het militaire bewind staan nog vers in de geheugens van de gemiddelde stadbewoner gegrift. De politieke corruptie, het populisme, de economische nederlaag waar het land onder geleden heeft. Het zijn gebeurtenissen die samen met de *desaperacidos* – de door de militairen ontvoerde jongeren – naar de gesloten ruimte van gisteren weggedrukt zijn, maar de herinneringen aan deze verdwenen Argentijnen zullen altijd blijven. Vandaag de dag hebben de Argentijnen nog steeds met corruptie en gesjoemelpolitiek te maken, maar misschien niet eens zoveel meer dan hun noorderburen in Texas.

Anno 2007 hebben gezaghebbenden als Perón, Videla en Menem een blauwdruk van wantrouwen bij de burger achtergelaten. In Buenos Aires gelden de wetten van de jungle, en niet de wetten die zo keurig in de grondwet opgesteld staan. Wat voor een meisje met een Nederlands burgerschap dat gewend is iedere ochtend meer en meer papieren te moeten invullen om de bureaucratie bij te kunnen houden, een avontuurlijke verademing is.

De bevolking lijkt onverschillig geworden te zijn voor de *viveza creola* – creoolse geslepenheid – van de gemiddelde politicus die zonder schroom zijn trukendoos boven tafel haalt om vervolgens het hardst te roepen om sociale hervormingen. In alle gezichten op straat is dezelfde geslepenheid te lezen die vanzelf ontstaat wanneer een mens opgroeit met het idee dat de overheid zijn vijand is, en nooit zijn helpende hand. De kloof van vertrouwen tussen overheid en bevolking moet zelfs zo groot zijn dat het de meeste inwoners zelfs onverschillig laat een stem uit te brengen op de nieuwe presidentskandidaat. Maar zo onverschillig als ze zijn geworden voor de schreeuwende populisten, zo geïnteresseerd zijn ze in de geschiedenis van het eigen vaderland, die nog zo leeft in de gedachten van de Argentijnen dat het bijna tastbaar is. De Geert Maks van Argentinië vliegen de boekwinkels uit. Felipe Pigna en Martinez zijn het literaire antwoord op de vele vragen die de overheid niet kan beantwoorden. De historische boeken worden veelal in delen uitgebracht, en zijn zo geschreven dat ze op menig nachtkastje van de gemiddelde Argentijn tussen de literaire bestsellers terecht zijn gekomen.

Maar achter al deze wildernis ligt een heleboel schoonheid verborgen. Buenos Aires leest niet als een stadgids waarin de attractiepunten van de stad met een routeplanner bezocht kunnen worden. De schoonheid van de stad verrast je, net als je over je schouder terugkijkt en je oog op een prachtige zuil valt of op een straatje waarin een eigen microgemeenschap lijkt te bestaan van schoenpoetsers, oude naaisters, bloemisten, slagers en restauranthouders. Of als de taxichauffeur een hoek omslaat waarachter je nooit de schoonheid van de brede Avenida 9 de Julio zou verwachten, uitmondend op een kaarsrechte obelisk. Iedere bus of taxirit kan een totaal ander beeld van de stad oproepen. Als je geluk hebt, word je langs de goede stukken van de avenidas gereden, langs het begin van Cordoba, Scalabrini Ortiz, Santa Fe of Libertador. 's Avonds komen deze grotere chiquere avenidas onder een deken van stadsverlichting en een waas van duisternis tot leven.

De vakantiefoto's van het nieuwe Buenos Aires rondom de haven stralen heel veel rijkdom uit.

Ook in het goede gedeelte van Recoleta, de buurt waar het oude geld in kluizen in de huizen zelf opgeslagen ligt, brengt de Calle Alvear je in een andere tijd. Een ander Buenos Aires. Het Baires van de glorierijke jaren. Daar staan de laatste mooie panden met de mooie balustrades, met bewoners die wél het geld hebben om het verval tegen te gaan.

Maar de meeste geldbezitters wonen in de groene wijken rondom de stad. In San Isidro en Olivos – hier woont het huidige presidentskoppel – worden de grootste en lekkerste *asados* – barbecues met gegrild vlees – gehouden en de mooiste feesten gegeven.

*

Ik begin mijn nieuwe leven op een zondag. En op zondag zeurt mijn hart altijd net ietsje harder. Gewoon, omdat zondagen gemaakt zijn voor familiewandelingen en verliefde stellen en mijn zondagen me daar nu weer iedere week aan herinneren.

Het eerste waar ik dus naar op zoek ga is een bloemenwinkel en een kapper. Want bloemen zijn het meest onderschatte medicijn tegen wakker worden zonder zin om op te staan en kappers de beste medicijnmannen voor een goed gevoel. Met een bos tulpen in de ene hand en een orchidee in de ander stap ik de eerste kapperszaak binnen die ik tegenkom. Een heel hippe, blijkt. Zo een die ergens tussen hetero en nicht de draad is kwijtgeraakt. En zo een die achter elke punt nog een knipoog plakt.

'Hola, wat mag het worden?' Knipoog.
'Blonder en korter,' antwoord ik resoluut.
'Kom, *guapa*, kom.' Knipoog.

Hij wijst naar een donkerrode stoel achter in de zaak, waarvan het leer op verschillende plekken is gescheurd. Ik ga zitten en zet mijn voeten op een houten voetsteun die met de stoel meebeweegt.

Zijn vingers glijden door mijn haren, zonder een haar onaangeraakt te laten. Met het aanwijzen van een plaatje in een van de magazines die me worden aangereikt, voel ik het leven waarvan ik ben weggelopen langzaam wegebben, alsof het samen met de haren op mijn hoofd weggeknipt wordt. De kapper gaat als een kunstenaar aan de slag, drie uur lang ben ik de zijne. Verschillende soorten pasta worden op mijn hoofd uitgesmeerd. Meerdere scharen verdwijnen in mijn haar, er gaat meer af dan er overblijft. Uitgelaten kijk ik in de spiegel. Een nieuw gezicht kijkt me aan en een nieuw leven lacht me toe. Ik ben weg en voel me tien kilo lichter.

Ook op de tweede zondag dat ik wakker word is Heidelberg nog altijd bij me. 's Ochtends schrijf ik over de dood van Chantal om in de middag op Zuid-Amerikaans tempo aan mijn leven in Buenos Aires te beginnen. Een wandeling, boodschappen, een terrasje of een verlate lunch met vlees en rode wijn. Op een nacht heb ik een knappe blonde heer zien lopen, gekleed in een strak gesneden pak van visgraat met daaronder een gestreept overhemd. Al zijn bewegingen straalden Engelse *grace* uit. In zijn gladgestreken pak en hoge witte boord lag Zuid-Amerikaanse verfijning verborgen. Zijn blonde, wat verwilderde haren en blauwe ogen deden me echter aan mijn thuisland denken. Misschien was hij het wel allemaal.

Ik betrapte hem op een teder moment, waarop hij een jonge familie in hun dagelijkse zoektocht naar karton en mogelijk andere bronnen van inkomsten, een roos toestak. Verschrikt keken ze op en verstomd bleven ze achter. Het gejuich brak pas enkele lange seconden later uit, toen de charmante man de voordeur van zijn huis al achter zich in het slot had horen vallen en aan de lange trap naar boven was begonnen. Hij was nog net op tijd om stilletjes vanaf zijn balkon toe te kijken naar de verheugde gezichten en guitige ogen van de familie toen ze het biljet van honderd pesos vonden, dat met een elastiekje om de roos was gebonden.

De goedheid van het gebaar is me lang bijgebleven. Net als de elegante tred van de man zelf, die er zo stilletjes in zichzelf van had kunnen genieten een ander te verblijden. Sinds die nacht heb ik hem nog een keer zien lopen, altijd even verzorgd, ongeacht het tijdstip, en altijd even geamuseerd.

Maar niet alleen de invulling van de dag is anders; ook wakker worden is anders. Zo kook ik niet twee eieren maar één ei en heb ik de koffiepot helemaal voor mezelf.

De bloemen staan overal verspreid. Op het aanrecht tussen de flessen wijn en de houten lepels halen de paarse, rode en witte kleuren een beetje van de mist weg die ik voel als ik 's ochtends wakker word en op het kussen naast me kijk, waar nu *The Daring Book for Girls* met zilveren letters ligt te rusten. In de badkamer, tussen het bad en het raam in, kleuren de roze knopjes van de orchidee het uitzicht naar buiten in en aan mijn voeteneinde doen de witte lelies me iedere ochtend voor een kort moment vergeten waarom mijn hart zachtjes onder de dekens ligt te zeuren. *Just Another Sunday* is de titel van het boek van de eerste week van mijn nieuwe leven.

Of toch niet? In het restaurant waar ik de volledige Argentijnse asado uitprobeer, loopt een wat verwilderde spijkerbroek met ongeschoren kop langs mijn tafel. Even kruisen onze blikken en glinsteren onze ogen. En even is dat alles wat er is.

Dan verdwijnt hij om de hoek en verlies ik hem uit het zicht. In de weerspiegeling van de ramen zie ik hem praten en lachen met een van de obers. Met een innige omhelzing zeggen ze elkaar gedag. Hij draait zich om en loopt in de richting van de deur, opnieuw mijn tafel passerend.

'*¿Está bien?*' Mijn ogen rusten op zijn handen. Hij heeft ze allebei in de zakken van zijn spijkerbroek gestoken. Snel volg ik de lijnen van zijn armen en kijk ik hem in de ogen. Die rusten op mijn bord. Ik antwoord van ja.

'Schrijf je?' Hij wijst naar mijn schrijfboekje.

'Si,' is alles wat ik zo snel weet te bedenken. Ik laat mijn pen uit mijn vingers vallen, hij belandt ergens tussen de krullende pagina's van mijn schrijfboekje, de wind is vroeg vandaag.

'*¿Libros?*' vraagt hij verder.

'*Si, un libro.*'

'*¿Una novela?*'

'*Si.*'

'*¿En español?*'

'*No. Soy holandesa.*'

'Ben je Hollandse? Woon je hier?' De jongen vraagt me of ik hier woon en wat ik hier doe. Woon ik hier? Heel even valt er een stilte in mijn hoofd. Ik praat het snel weg met mijn beste Spaans.

'*Si.*' Gaat goed, dat Spaans van mij.

'*¿Sola?*'

'*Si. Soy sola.*'

'*Venga*, dan laat ik je het echte Buenos Aires zien.'

De eerste stop van het carnaval waar ik sinds enkele dagen in ronddans, heet Roman Gomez. Nieuwe dingen brengen uiteindelijk ook altijd goede dingen, dat is de zachte troost die achter aanvankelijk bittere verandering verscholen gaat. De hele zondag zijn we samen. We wandelen over de grote pleinen, drinken rode wijn en bestellen nog een ronde eten. 's Avonds neemt hij me mee naar een concert, waar ik de eerste tangoschoentjes van mijn bezoek voorbij zie schuifelen. Kruislings door de stad vertelt hij me dat hij Buenos Aires negen jaar geleden heeft verlaten, om een restaurant in New York te beginnen, samen met een Amerikaanse investeerder, die wel wat zag in zijn snelle vingers en Argentijnse familierecepten. Vier jaar later stond hij weer voor de voordeur van zijn oude appartement in Buenos Aires, platzak en totaal afgeleefd. Na een halfjaar werken in de garage van zijn neef heeft hij met de hulp van zijn familie een oud restaurant in de buurt overgenomen, nadat de kok door zijn rug was gegaan en na dertig jaar koken het hele horecaleven zo vervloekte dat hij geen keuken meer kon zien. Met succes. Het restaurant zit nu bijna iedere middag en avond vol. Sterker nog, ik zat er vanmiddag nog. Een dezer weken opent hij zijn tweede restaurant.

'Ja, het zijn weer betere tijden, maar wat moet het heerlijk zijn om al dat handen schudden, iedere avond weer, op een dag in te kunnen ruilen voor zo'n vrij bestaan als dat van jou. Je bedenkt een verhaal, reist erachteraan, en verplaatst je huis samen met je gedachten mee. *Qué linda. Qué bonita.*'

'*Si. Bonita.*'

Dat ik het voordeel van een blanco pagina niet eerder heb bedacht. Slechts een vliegticket verwijderd. Voor de tweede keer vandaag prik ik in een stuk vlees. Het eten is net als alles in deze stad: groot, veel en onweerstaanbaar. De *lomo* wordt in grote porties van vier stukken vlees geserveerd, aangevuld met een kleurenpalet aan salade, salsa en pickles. Het restaurant scheidt de Calle Cabrero van de Calle Thames, in het vlammend hart van Palermo, een buurt bevolkt door yuppen die 's avonds op de terrassen hun vertier zoeken. Zo ook Roman en ik. De sfeer tussen de tafels buiten is nog leuker dan binnen, waar iedereen dicht op elkaar zit in een mooi aangekleed decor. Het terras is afgeschermd met een plastic tent die de muggen weghoudt, maar ook een extra intimiteit creëert. Buiten gaan de wijnflessen van tafel tot tafel, de witte tafelkleden bespetterend, en je prikt af en toe een vorkje mee van je buurman die je net een hand hebt gegeven. Als Roman opstaat om te betalen en mij vijf minuten alleen laat zodat ik de omgeving in me op kan nemen, verbaas ik me over de snelheid waarmee deze stad zijn eerste gelaatstrekken heeft gekregen. Ik word onderbroken door een sterke, bruine hand die de mijne pakt. Roman. We gaan op weg naar ons laatste slaapmutsje van de avond.

'Martini en een rode wijn, alsjeblieft.'

'Martini met gin of wodka?' Ik trek een hoofd alsof ik geen idee heb, maar hiervoor Roman van de wc terughalen lijkt me wat overdreven.

'Ik denk met gin. Geen idee eigenlijk, maak er maar wat van.' De wat arrogante bartender lijkt zeer tevreden met het beetje vertrouwen waarmee ik hem naar de bar doe vertrekken. Even later staat er een driehoekig cocktailglas voor mijn neus met een olijf op een stokje erin. Nog even later is het glas leeg, wordt er een nieuw drankje klaargemaakt en ligt de hand van Roman op mijn knie, die nog van de Argentijnse zon nagloeit.

Het is twee uur 's nachts als we door de grote, lege avenidas naar huis slenteren. De lange, vlakke en vooral onbekende straten van de stad maken dat ik me meteen op mijn gemak voel. De afstand werkt helend. Amsterdam moet vechten om zijn plek niet te verliezen op de gloeiende horizon van Zuid-Amerika, waar de maan vanavond op half staat. Mijn hand in de zijne. Een kiosk en een stoep vol met bloemen. Roman loopt ernaartoe en pakt een bos witte bloemen uit een blauwe emmer. De witte bloemen van Roman sluiten naadloos aan op mijn zwak voor Amerikaanse cinema. Net als de gitaarspeler die op de hoek zit te spelen. Als het even kan sta ik ermiddenin, en dat is nu zeker het geval. Geef mij een scène en ik sta in de film. Geef mij het moment en ik ben weg. Geef mij de armen en ik zak weg in een veilige omhelzing.

'Een Buenos Aires-moment?' vraag ik Roman onderbrekend.

'Ja. Alles. Onze ontmoeting, de avond, de zachte wind. Alles.' Zijn woorden klinken net zo warm als een donzen kussen zacht is. Ik zak licht door mijn heup en geef me over aan de kracht van de zijne. Zijn adem kriebelt verlangend in mijn nek. Zijn lippen op mijn voorhoofd. Een rilling, ik verstevig de grip van mijn vingers om de zijne en knijp nog een extra keer na. Roman vraagt of ik de komende zes blokken liever in een taxi afleg. Ik antwoord van niet. Hij kust me nog een keer op mijn voorhoofd en strijkt door mijn haren. De lakens vallen zachtjes over me heen, beginnend bij mijn tenen, via mijn knieën over mijn heupen, mijn borsten aanrakend, mijn neus aanstippend, totdat ze achter mijn voorhoofd op het matras landen. Ik ben me van al mijn prikkels bewust en verzink in de geborgenheid van ons beider verlangen. Een kleine krul vormt zich om mijn lippen en tovert een stoute, nog onwennige glimlach tevoorschijn bij het ontdekken van deze plotselinge Argentijnse hittegolf. Ergens tussen zijn zongebruinde hand, de wijn en de Amerikaanse cinema in laat ik me gedachteloos wegzakken in een vreemde romance; ik zal om deze zondag in mijn nieuwe thuis niet alleen uitslapen. Twee zielen alleen. Eén gedachte. Een nieuwe zondag. Een nieuwe titel. Die ik morgen met alle plezier verander, als ik de verrassingen van de *wide open road* uitgeslapen heb.

Er ligt een grote troost verborgen onder de dekens van een bed waarin twee vreemden met elkaar de nacht delen. De zachte woorden, de voorzichtige aanrakingen, de lichaamstaal die hun woorden overneemt. Allebei zijn ze zoekende en allebei zijn ze in die kleine zoektocht, naar iets waarvan ze de bestemming nog niet kennen, alleen. Totdat ze samen in slaap vallen en hun eenzame verlangen voor een moment zijn bestemming vindt en samensmelt. Hun verlangen wordt één. De troost duurt niet langer dan dit moment, maar dit moment is alles wat nodig is om in de ochtend door de vogels gewekt te worden die je al te lang niet had horen kwetteren.

En hier, in de warme adem van Roman, ben ik verliefd op de romantiek, die verborgen ligt in het vreemde van onze romance, in onze anonimiteit, in de personen die we verkiezen te zijn. Ongecompliceerd, onbevangen, vrij. Als een nieuw document dat de anonimiteit van onze situatie zou verwoorden als een wederzijdse uitwisseling van onze leukste 'ikken', dompel ik me onder in een leven dat niet van mij is, maar dat ik me met iedere minuut een beetje meer eigen maak.

Het is de kleine zoektocht naar de aandacht van twee veilige armen voor een nacht, naar een verliefdheid voor een nacht. Het is een verlangen naar liefde dat niets met liefde te maken heeft dat me bij hem in bed doet stappen in de hoop met dit moment een beetje van het gat van een eerdere teleurstelling te dichten. Het verlangen begint bij mij, niet bij de ontmoeting. Het is een honger naar avontuur. Al is het maar heel kort.

Romantiek is even vluchtig als een nacht in een 24 uurshotel, waar de bezoekers per uur betalen, de matrassen in plastic verpakt zijn, de condooms klaarliggen en de nachtlampjes regelrecht van de wallen komen. De lift rammelt, het behang hangt, de muren ademen aan alle kanten geheimen uit. Het is niet licht, het is niet donker. Alles staat op schemer. Net zoals de vreemde armen die om je heen geslagen zijn en je eigen ik, waarvan je een groot gedeelte slapend thuis hebt achtergelaten en waarvan er maar een klein stukje met je is meegereisd, je verlangen volgend, het avontuur van je eigen fantasie in.

Het is nog vroeg als ik met mijn gedachten lig te stoeien naast het slapende lijf van Roman. Ik wil dat mijn gedachten ook zijn gedachten zijn, maar ik ken de hele vent die naast me ligt niet. En bestaat dat echt? Iemand met wie je in een dag naar Heidelberg en Buenos Aires kunt? Naar gisteren en morgen? Naar toen en als?

Het is, karig uitgedrukt, anders.

Het is vreemd.

Ondanks het feit dat we verstrengeld in elkaar in slaap zijn gevallen, voelt het laken vreemd en onuitgeslapen aan. Vreemd, omdat ik de geuren en geheimen ervan nog niet ken. Onuitgeslapen, omdat het laken mijn gevoelens en herinneringen nog niet kent. En als herinneringen als natte dons aan de haartjes op je huid vastkleven, maken ze het onmogelijk een nieuwe man recht in de ogen te kijken.

Ik kijk opzij. Roman slaapt nog. Hij heeft zijn benen om de mijne heen gevouwen. Zo zachtjes mogelijk probeer ik onder zijn warme lijf vandaan te kruipen en zoek ik op de tast naar de groene jurk waarin ik gisteravond zijn bed in ben gegleden. Nog slaapdronken van de roes waar ik gisternacht in ben getrokken, loop ik vijf minuten later wat verloren op straat. CALLE MALABIA lees ik op een bord op de hoek van de straat. Ik heb geen idee waar ik ben, maar me oriënteren staat niet boven aan mijn lijst. Koffie wel. Bij het eerste koffiezaakje dat ik zie, bestel ik iets wat tussen een koffie en een koffie verkeerd in zit en krijg een *cortado jarrito*. Met het kopje in mijn hand ga ik zitten aan een van de lege tafeltjes op de stoep. Ik zie een bakker met een lange rij hongerige mensen eromheen, ik zie een man bloemen verkopen en ik zie een negerin op roze teenslippers in een vuilnisbak graaien. En dat allemaal op een zondagochtend.

Aangestoken door de negerin tast ik wat in mijn zakken, altijd een spannende aangelegenheid na een nacht die als een wilde jazzmelodie is blijven hangen. Van de witte bloemen, de tokkelende gitaar, de vreemde hand op mijn knie en de groene jurk kan ik niets meer dan een suggestief gedicht maken. De verbindende momenten zijn uit mijn geheugen gewist.

Inmiddels ligt er van alles op tafel. Wonderbaarlijk wat je in een nacht en uit twee kleine colbertzakjes kunt opdoen. Een losse knoop, een goudkleurig luciferdoosje met daarop de naam HOTEL EL FAENA, wat papiergeld, muntgeld, een oorbel, een papiertje, een kastanje en een schelp in de vorm van een hoedje.

Een schelp in de vorm van een hoedje.

Zo spoelen ze aan de Normandische kust van Île de Ré in Frankrijk aan.

Het schelpje hangt pas een paar maanden om mijn hals, nadat Timo het uit het stinkende zeewier had geplukt en had schoongespoeld in de Atlantische zee. De herinnering aan het schelpje is zo scherp als een film op een gloednieuw televisiescherm dat ik met de afstandsbediening aan en uit kan zetten. Het is mijn mooiste schelpje uit een tijd die ik nu probeer te relativeren tot een luchtig verhaaltje. Misschien omdat mijn hoop toen op z'n grootst was. Of misschien omdat onze liefde eigenlijk alleen kon bestaan op een eiland waarin zijn verleden niet bestond. Het schelpje zal vannacht wel van mijn hals af gevallen zijn.

Ik vouw het papiertje open en begin hardop te lachen. De negerin kijkt om en knikt, alsof ze in mijn kleine doorbreking van het straatrumoer herkenning vindt. Op het blaadje staat een tekening van een boom. Een droomboom. Mijn droomboom. Ik heb hem getekend nadat ik bij Alek ben weggelopen, om me aan iets nieuws vast te kunnen houden.

Lopend door de stad, in de hoop mijn weg terug naar huis te vinden, passeer ik de beroemde begraafplaats van Recoleta. Ik stap niet meteen door het wijd open hek naar binnen, maar blijf een paar lange minuten van een afstand toekijken. Mijn ogen glijden over de graftombes die al zwijgend mijn gedachten opslokken. Even voelt het alsof ze me toelachen, zo imposant en vredig liggen ze erbij. Ik vraag me af of Chantal er ook nog is om me toe te lachen. Of ze als een spookje rondzwerft in een andere tijd, in het land van de doden, waar geen klokken bestaan die stil kunnen komen te staan.

Het kerkhof ligt vol met katten. De katten bewegen en kijken met een geheim waarvan alleen zij het hoe en waarom kennen. Zij weten hoe de doden klinken als alle bezoekers weg zijn en de witte maan aan de zwarte hemel als enige toeschouwer toekijkt. Zij kennen hun stilte en hun geluiden. Hun geheimen en hun dromen.

Op een van de eerste graven die ik passeer ligt een zwarte kater. Hij is wat viezig, mager en gehavend, maar ligt er trotser bij dan de gemiddelde Hollandse vensterbankpoes. Verder dwalend in de doolhof van de doden kom ik een kat tegen die me enige minuten blijft volgen. Ze huppelt om me heen in een drafje dat ik alleen van paarden ken, en als ze zich omdraait kriebelt haar harige bruine vacht langs mijn blote benen. De graven worden steeds groter en mooier. Ik blijf even staan bij een graf waarvan ik droom om er op een dag, als ik groot en rijk ben, in te wonen. Het graf doet niet onder voor een kleine tempel, met alles erop en eraan. Een mooi koepeltje, een deur afgewerkt met ijzer gietwerk en ramen met een heleboel kleine ruitjes. Voorzichtig veeg ik het stof van de ramen en gluur ik naar binnen. Er liggen een paar houten kisten boven elkaar met ernaast een stoel.

Daarnaast krult een diepe trap naar beneden, de duisternis in. Ook krult er een trap omhoog. Genoeg ruimte voor een vijfgezinskeuken en een tweepersoonsbed van IKEA. Hoe langer ik loop tussen de geluiden van de stad die de doden aan het leven herinneren en de stilte van het kerkhof die de levenden aan de doden herinneren, hoe meer de scheidslijn tussen die twee vervaagt. Hier is de dood geen donker gat, diep weggestopt in de grot van Canon. Hier is de dood slechts een seconde verwijderd.

Samen met de kat loop ik de begraafplaats af en stap ik terug in de geluiden van de levenden. Net voordat ik mijn tweede stap buiten het kerkhof wil zetten, blijft de kat staan. Voordat ze zich omdraait, krult ze nog een keer om mijn benen en neemt ze haar geheimen mee terug naar de grafstenen.

Vanuit de taxi kijk ik naar buiten, naar het ritme van het alsmaar veranderende straatbeeld van de stad, het ritme waarop mijn gedachten de afgelopen dagen flink zijn opgevoerd. Hier in de taxi, weggedoken in de warme geur van Roman, die in mijn huid gekropen is, staan mijn gedachten maar een kant op: Amsterdam. Wat voelt het ver weg. De stad schiet aan me voorbij. In de verte zie ik een glimp van de oceaan die mijn vertrek definitief heeft gemaakt. Misschien schuilt er wel een logica in het vasthouden aan momenten. Misschien zijn ze er juist om in te blijven hangen. Misschien is verstandig zijn niet altijd even verstandig. En misschien dat de titel die Chantal me heeft gegeven wel veel verder fladdert dan ik aanvankelijk had gedacht.

*

De buurt waar ik mijn eerste lijntjes uitzet heet San Telmo. Hier staan de vervallen villa's verstopt onder een verwildering van klimop. Hier zingen op straat de armste mensen in gestreken pak, om nog op hun oude dag hun *comida* – avondeten – bij elkaar te verdienen. Hier wonen de extravagante verzamelaars, de arme kunstenaars en de antiekhandelaren. Hier loop je per ongeluk een tangoconcert binnen, waarvan de klanken nog dagenlang door je ziel snijden. Hier word ik in het weekend gewekt door de bruisende handel van antiekverzamelaars en tango- en andere volksdansers die hun kunst voor mijn deur uitdansen. San Telmo is het thuis voor de dromers. Warm, levendig en sexy.

Misschien voel ik me daarom wel zo lekker thuis tussen de spullen van Maria. Het balkon dat in alle anonimiteit en alle rust uitkijkt over het altijd ademende plein. Als een voyeur neem ik de alledaagse schouwspellen waar. De stad van Borges en de tango komt onder mijn ogen tot leven tot meer dan een enkele economieles of altijd gunstige weerberichten. Amsterdam voelt met het moment verder weg. Evenals de donkere wolken die een paar dagen geleden nog boven Schiphol hingen.

Beneden op de Plaza Dorrego doe ik een van mijn eerste aankopen. Een eerste druk van *La razón de mi vida*, geschreven door Evita Perón. Het is een eerbetoon aan haar man, Juan Perón, en een pamflet tegen de kapitalistische klasse. Ik sta lange tijd stil bij een ouderwetse typemachine en een groene leren koffer met bruine riemen. De prijzen zijn een lachertje vergeleken met die van de winkels in de negen straatjes van Amsterdam. Op de hoek van het plein zit een enorme winkel waarvan iedere centimeter gevuld is met antieke rariteiten en *obscura*. Als ik vraag of ze ook hoeden heeft, neemt de verzamelaarster me mee naar beneden, een donkere trap af. Wanneer ze het licht aanknipt zie ik dat ik te midden van duizenden oude witte jurken sta, allemaal gesorteerd op jaartal en klederdracht. Terug op de markt op het plein koop ik een blauwglazen fles die me doet denken aan de antieke flessen die in de keuken van mijn moeder staan. En misschien nu ook al in mijn keuken in Amsterdam, gezien de spullen die Maria op haar weg naar Amsterdam nog ergens in België moest ophalen.

Het huis van Maria is een grote verzameling van oude koffers, geborduurde Spaanse stola's en spiegels met vlekken waarin de tijd zich heeft vastgebeten. Het is er vol, maar niet rommelig. De stapel is zo hoog dat hij het plafond aanraakt. Je kunt zien dat al haar verzamelingen zich in de loop der jaren een eigen plek hebben toegeëigend, het verhaal dat ze in zich dragen beschermend. De boeken op de salontafel – in dit geval een oude kist met een ijzeren naamplaatje erop. De mandjes in de badkamer. De kandelaars op de nachtkastjes, naast haar bed. In de hoek, tegen een van haar muren, liggen al haar koffers opgestapeld. Alleen in de keukenla is ruimte voor ongeorganiseerde chaos, de enige plek in het huis waarin ik nooit kan vinden wat ik zoek. Scharen, lucifers, plakband. De woonkamer is niet groot, maar als de deuren naar het balkon openstaan, vervult het licht van buiten het huisje met een ruimte waarin ik vrij kan ademen en bewegen. Of zou het de oceaan zijn die me scheidt van alles wat ik thuis heb achtergelaten?

Maar die ruimte verdwijnt zodra ik de deur naar het trappenhuis voorzichtig openduw en in de hal sta, waar de geluiden met zoveel zijn dat ze me doen geloven dat alle elf miljoen inwoners van Buenos Aires bij mij in het gebouw wonen, zo dunnetjes zijn de muren waarachter we onze eigen levens proberen te leiden.

Boven mij woont Anna. Anna is vijfentachtig en is drie weken geleden weduwe geworden. Dat weet ik uit de twee keer dat we elkaar zijn tegenkomen en zij allebei de keren een gesprek probeerde aan te knopen, met daarin een herhaling van de zinnen: 'Aan de overkant moet je geen vlees halen. De beste slager zit drie straten achter ons,' en: 'Ben je echt helemaal alleen?' En haar meest slinkse: 'Ach, je kunt wel een boek schrijven over mijn leven.' Hoewel ik inmiddels weet dat je daar geen vijfentachtig voor hoeft te zijn, werd mijn nieuwsgierigheid toch meteen gewekt. Ik vroeg haar op theevisite.

'Heb je wel tijd voor de verhalen van een oude vrouw?'

Een korte blik naar buiten was voldoende. Zo veel geluiden en drukte en geen enkele dreun of beweging waar ik deel van uitmaakte. Ik knikte en knikte en knikte. Anna bleef praten en praten zonder me een minuut te vervelen. Ik dacht dat ze pas drie weken eenzaam was, maar algauw bleek dat haar eenzaamheid jaren eerder geboren was in de krankzinnigheid van haar echtgenoot. Ze leefden al vijfentwintig jaar gescheiden. Zij in een vierkant familiehuis met een driehoekig dak erbovenop in New Jersey, New York. Hij in een inrichting, enkele uren daarvandaan. Kort na zijn dood is ze teruggegaan naar de stad van haar geboorte, Buenos Aires.

'En wat doet zo'n jonge mooie meid in haar eentje in Buenos Aires?' Ik hoor het haar nog zeggen. Een verdomd lastige vraag als het antwoord jezelf nog niet gegeven is. Ik hoorde mezelf zeggen dat ik een schrijver ben en naar Argentinië was gekomen om een boek te schrijven. Het was nog minder dan de halve waarheid, en een stuk romantischer dan de volledige waarheid, maar ruim voldoende om Anna tevreden te stellen en met een glimlach naar boven te doen vertrekken.

Onder mij woont Paco. Een dikke man met een ontzettend vrolijk hoofd dat altijd op grijnzen staat. De helft van de keren dat hij iets zegt praat hij met volle mond, hetgeen mij de zin om naar de slager te gaan meteen beneemt. Ik heb geen idee wat Paco doet, maar ik denk dat ik er niet ver naast zit als ik schrijf dat hij voornamelijk zijn dag doorbrengt met boodschappen doen bij de bakker en de slager.

*

De taxi stopt voor een rood pakhuis. Tanya, de vriendin van Maria die zich over de honden ontfermd heeft, woont in een loft in Puerto Madero, het nieuwe gedeelte van de stad, dat langs de haven is gebouwd. Het zicht wordt gekleurd door enorme pakhuizen die doen denken aan New York. Gedurfde architectuur, vrachtschepen uit het IJ in Amsterdam en een parade van hoge kraanwagens, die als de zon onder is als dreigende silhouetten over de gebouwen hangen en spookachtige schaduwen achterlaten op het water. Ik herken ze van mijn eerste avond met Roman, die mij toen heeft meegenomen naar een pianobar in een hotel hier in de buurt. Vanaf de rode ligstoelen, waarmee het zwembad is aangekleed, waren de hoge kraanwagens een prachtig gezicht.

Ik word met open armen ontvangen. Zo koel als de mensen hier zijn op straat, zo warm zijn ze binnenshuis. Tanya behoort al binnen enkele minuten tot mijn shortlist van mensen die ik heel graag wil leren kennen. Wat ze tegen me zegt – *Hola guapa* –, de manier waarop ze me begroet – ze slaat haar armen om me heen alsof we al door lief en leed zijn gegaan –, hoe ze naar me kijkt – haar ogen glinsteren van energie –, en wat ze draagt. Een en al kleur, bloem en geklater van armbanden.

Ze leidt me naar een grote open ruimte aan de voorkant van het appartement. Haar gastvrijheid is overal aanwezig: in de verse bloemen op tafel, in de schaal vol met nootjes en in de wijnglazen die ze heeft klaargezet. Alles bij elkaar haalt het het wat ongemakkelijke gevoel weg dat ik met me mee naar boven heb gedragen omdat ik mijn wijsvinger op een vreemde deurbel heb gedrukt.

'Woon je hier al lang?' vraag ik terwijl ik haar uitzicht gadesla.

'Nee, nog niet eens een jaar. Ik heb altijd in San Telmo gewoond, om de hoek bij Maria. Ik heb zelfs een aantal maanden in haar huisje gezeten. Hoe vind je het daar?'

'Heerlijk.'

'Ja, dat is het ook. Het is hier ook goed wonen, maar ik mis de rommel van San Telmo wel eens. Zoals je weet handelt Maria in antiek en heeft ze zelfs een winkel vlak achter de Plaza Dorrego. Ze is altijd op zoek naar oud spul. Zo was ze al toen ik haar leerde kennen in Spanje.'

'Spanje?'

'Ja, gek hè? Twee Argentijnen uit San Telmo die Spanje nodig hebben om elkaar te ontmoeten. Zij heeft veel meer over de wereld gezworven dan ik, maar is gelukkig altijd teruggekomen naar Buenos Aires. Ondertussen kwam ik steeds vaker terug in de winkel, die zij al had opgezet voordat ik haar leerde kennen. Dankzij haar heb ik van mijn eigen huisje iets heel leuks kunnen maken. Haar honden zijn nu bij een vriend op het platteland. Daar kunnen ze de hele dag rondrennen, maar ze komen volgende week weer bij me terug. Als je het leuk vindt kun je ze af en toe meenemen voor een wandeling.'

'Graag. Ik vind het wel gezellig om af en toe een wandeling met ze te maken. Ik ben hier ook maar alleen.' Hè bah, wat klinkt dat zielig. Ik moffel het snel weg met iets enthousiasts over de stad. Tanya praat er gelukkig overheen.

'Nou, je laat het me maar weten als je er genoeg van hebt. Het restaurant waar we vanavond eten is vlak bij jou, twee straten van de Plaza Dorrego. Ze serveren grote porties, ik hoop dat je trek hebt. Misschien dat een vriend van me ook nog even aanschuift. Hij was meteen geïnteresseerd om je te ontmoeten toen ik vertelde dat je een schrijfster uit Amsterdam bent,' zegt ze met een knipoog. Een boek schrijven en Amsterdam, het beste visitekaartje dat je mee kunt nemen op reis.

'Vriend, zei je?' vraag ik.

'Ja.'

'Single?'

'Ja.'

'Nee, dank je. Ik hou het voorlopig wel even bij de honden,' antwoord ik, en ik neem een slok wijn om iets te doen te hebben. Ik wil haar nog niet vertellen dat ik af en toe een avond bij Roman in bed kruip, maar Tanya kijkt me vragend aan.

'Daar wil ik vanavond meer over horen. Ik ben net verse thee aan het zetten. Maté, ken je dat al?'

'Van gehoord.'

'Wen er maar vast aan. Je kunt in Argentinië niet leven zonder maté te drinken. Het houdt niet op bij de thee, het is een cultuur.' Ik krijg een houten ronde kop aangereikt met heel veel blaadjes erin en een rietje van metaal. Het is sterk en bitter.

'Hoe kan iets wat zo bitter is een cultuur worden?'

'Het is gezond en Argentinië is in de ban van dat woord. Niet alleen de hippies op straat maar juist ook de mensen met geld. Wist je dat we het hoogste aantal plastisch chirurgische ingrepen hebben in dit land? In dit land zitten de beste en de goedkoopste.'

'Nee, dat wist ik niet. Hoeveel kost een *boobjob* dan?' Terwijl ik het vraag, druk ik mijn armzalige decolleté omhoog.

'Niet zoveel, iets van vijfduizend pesos, geloof ik.'

'Dat is twaalfhonderd euro. Voor een paar tieten. Niet veel.'

Tanya pakt haar jas van de kapstok. 'Het restaurant is een halfuur hiervandaan. De kou is laat dit jaar, zin om te wandelen?'

De wandeling leidt ons langs dezelfde rode oude pakhuizen en gedurfde hoogbouw die ik op weg hiernaartoe ben gepasseerd. De rood-geel gekleurde kraanwagens die met hun silhouetten over het open water hangen zijn van zo dichtbij nog indrukwekkender. In de haven ligt een groot oud passagiersschip, met drie masten en een scherpe boeg. Het schip scheidt het bestuurscentrum van de stad met de nieuwbouw van de haven. Boven de masten uit torenen het ministerie van Defensie, het commerciële handelscentrum en de toren van de Plaza San Martin, geïnspireerd op de Big Ben.

Tanya vertelt en vertelt en vertelt. En terwijl ze vertelt krijgen alle ijkpunten van de stad een gezicht. Op elke straathoek waar we stilstaan en langs elk gebouw dat we passeren laat ze met haar woorden een stukje van deze avond achter. De kraanwagens zullen me er altijd aan herinneren dat ze de oudste is van vier meisjes en het gewend is om altijd verhalen om zich heen te hebben; de verhalen kleefden aan de roze bloemenjurkjes van de vier zusjes. Overal waar ze gingen fantaseerden de meisjes hardop over hun vrouwelijke verlangens. Van barbiepoppen tot kanten ondergoed tot de stevige billen van een vriendje. De zus die het dichtst bij haar staat, Isabella, woont het verste weg. Ze werkt in Colombia als journalist, sinds de dag dat Ingrid Betancourt in 2002 ontvoerd werd door de FARC. Ze zal niet vertrekken voordat die zaak is opgelost. Tanya's andere twee zussen, Anaïs en Cecilia, wonen allebei in Buenos Aires.

Bij de hoge masten van het grote schip in de haven vertelt ze over haar moeder, die een echte Argentijnse was, niet alleen in haar bloed maar ook in alles wat ze deed. Ze bloeide tussen het Argentijnse machisme en het sensuele spel van de *gringos*, dat zag iedereen. Tanya vertelt over haar vader, maar niet zo lang omdat ze hem nooit heeft gekend. Toen ze twee was is hij gestorven aan longkanker. Ze praat over haar zussen en dat het niet zo gek is als je voor jezelf leert te zorgen in een huishouden met vijf vrouwen. Op hol geslagen wasmachines, rokende automotoren, lekkende kranen – Tanya heeft er nooit een helpende hand voor nodig gehad.

En ze vertelt over Maria, de vrouw die nu in mijn huis woont. Dat ze samen met Maria veel heeft rondgezworven en verzameld, maar dat zij daar zelf algauw genoeg van kreeg. Ze heeft een tijdje in Spanje gewoond, Madrid, waar ze werkte op de marketingafdeling van een uitgeverij. Dat heeft ze hier in Buenos Aires ook nog een tijdje gedaan, bij Grupo Santillana, omdat ze zo van boeken houdt, maar ook daar had ze het na een paar jaar wel gezien. Ze werkte als hostess in een groot hotel. Daar organiseerde ze de donderdag- en vrijdagavond en was ze vijf avonden in de week druk aan het lachen naar de gasten. Dat duurde om die reden nog minder dan een jaar. Uiteindelijk zette ze vier jaar geleden haar eigen evenementenbureau op, onder de naam Mariposa, en dat heeft ze nooit opgegeven. Haar klantenbestand varieert van bedrijven die aan teambuilding doen tot mensen die in het huwelijksbootje stappen en families die hun verjaardagen wel willen vieren, maar niet willen regelen. Ze vindt het leuk, leeft volgens haar eigen agenda, heeft een aantal goed betalende klanten, maar hoe langer ze alleen is en hoe ouder ze wordt, hoe vaker ze ervaart dat haar leven zoals het is haar niet meer gelukkig maakt. En dat vertelt ze me allemaal, in één wandeling. Net zoals Maria mij een kijkje in haar leven gaf, via de e-mail.

'Het is tijd voor iets anders,' zegt ze. 'Ik word me er steeds meer van bewust dat ik in deze stad mijn volgende station niet ga halen. In al die tijd van reizen en bezig zijn heb ik me laten ontglippen wat ik eigenlijk echt belangrijk vind, maar altijd heb weggeveegd als gezeur. Ik ben nu al tien jaar vrijgezel, geen een relatie lukt, en daar begin ik van te balen.'

Ik luister aandachtig, geïnteresseerd in haar eigen grotestad-verhouding-man-vrouwanalyse.

'Wat is je droom?'

'Nu? Alles laten voor wat het is, alles verkopen – mijn huis, mijn zaak, mijn auto – en zonder iets te moeten langzaam op zoek gaan naar een huis in de bergen dat groot genoeg is om een pension in te beginnen en ver genoeg van deze drukke stad af ligt om het voortdurende gezeik van de mensen erin niet meer te hoeven horen.'

'Wat houdt je tegen?'

Ze draait zich naar me toe. 'Waarom ben jij weggegaan? Een teleurstelling? Onrust?'

'Beide.'

Als we bij het restaurant aankomen, zijn de meeste tafels al gevuld met mensen en gerechten. Zodra we zitten is het eerste wat Tanya me vraagt wat ik de komende dagen te doen heb.

Ik haal mijn schouders op. 'Niets bijzonders.'

'Mooi zo. Ga je volgende week met me mee? Naar Uruguay? Even eruit? Voor een lang weekend is het daar perfect, maar als je wilt dan blijven we wat langer. Je vindt het er vast heerlijk en het is maar drie uur met de boot. Misschien net voldoende tijd om me te vertellen waarom je van huis bent weggegaan.'

Er even tussenuit, zegt ze. Lachend stem ik erin toe.

Als ik die avond laat door de stad loop, kan ik Tanya niet uit mijn hoofd zetten. Met gewende stappen loop ik de kruising over waar de grote Scalabrini Ortiz de Cordoba snijdt. Het is hetzelfde kruispunt als waar ik een week eerder zo verwarmd werd door de armen van Roman en de roos van de blonde man in het pak met visgraatdessin.

Roman woont precies boven deze kruising, in een pand waar je zonder oordoppen niet kunt overleven. De sirenes, het getoeter, het geschreeuw; net op dit ene kruispunt van alle achtentachtigduizend kruispunten in de stad lijken de meeste ongelukken te gebeuren. Het gebouw is oud en vochtig. In het trappenhuis ruikt het naar vocht en soms zo sterk dat ik me altijd weer even afvraag of de bejaarde onderbuurvrouw niet vergeten is haar gas uit te draaien.

Roman woont op de bovenste verdieping. Dat betekent drie trappen op en vijf naambordjes langs, voordat ik voor zijn deur sta. Zachtjes zet ik mijn voet op de eerste tree, ieder geluid kan de oude, geile man op de eerste verdieping aanstalten geven zijn deur open te zwaaien en me naar binnen te lokken met een excuus dat hij van de pijn niet meer zelf kan gaan zitten. Die fout heb ik al een keer begaan. Na zevenentachtig marmeren treden, aangekleed met een jugendstilachtige balustrade, loop ik het vertrek van Roman binnen.

Met gewende gebaren hang ik mijn grijze jasje over een

stoel, poets ik mijn tanden en werp ik vanaf het balkon een blik naar buiten. Zijn uitzicht is volgehangen met reclameborden, waarvan het grootste gesierd wordt door een prachtig lingeriemodel in een witte wonderbra. Iedere keer als ik in het decolleté van deze dame kijk, neem ik me voor het effect van de veelbesproken en veel geadverteerde wonderbra op mezelf uit te proberen en druk ik mijn borstjes stevig tegen elkaar, wat van bovenaf een opzienbarend effect heeft, maar wat met mijn verhoudingen moet betekenen dat er onderaan niets meer van overblijft.

Vanaf zijn balkon zie je misschien wel het best hoe de duisternis over de stad trekt, hoe de stad in bezit wordt genomen door de armen uit de sloppenwijken. De sierlijke kerken gaan verborgen achter het puin van de armoede en de koloniale huizen veranderen in vervallen gebouwen, die soms door hun fundament heen lijken te zakken en van schaamte hun gevels laten hangen.

Roman gaat achter me staan en kleedt me uit. Nog net voordat mijn roze gebloemde jurk op de koele vloer belandt, smijt ik hem ver in een hoek – de ene liefde kan niet bedreven worden in dezelfde jurk als de andere. Roman helpt me met het openhaken van mijn bh en trekt me dicht naar zich toe. Niet lepeltje lepeltje, maar met onze borstkassen tegen elkaar aan geklemd. Alles raakt elkaar: onze voeten, benen, heupen, navels, tepels, halzen, wangen, wimpers. Zelfs onze adem; ik voel hem, hoor hem, ruik hem. Met mijn zintuigen op scherp zuig ik de hemelse aanraking in van de vluchtige liefde, zoals die tussen twee vreemden kan bestaan. En het tintelen wordt alleen maar sterker. Roman glijdt met zijn vingers naar beneden, dezelfde weg afleggend die ik in gedachten al heb beleefd. Misschien dat mijn zenuwen daarom schreeuwen om stilte, de tintelingen bungelen op de rand van genot en pijn. Zachte veegjes in de holte van mijn borstbeen, kleine cirkels om mijn borstjes, die eindigen in zachte kneepjes in mijn tepels. Een lange veeg recht naar beneden, een gevoelige pauze bij mijn navel, gekriebel door mijn schaamhaar. Zijn vingers glijden in één keer naar binnen en blijven daar een tijdje rusten, voordat de kleine cirkels ook daar beginnen en het genot in mij de stilte van de ruimte met mijn gekreun verbreekt.

Hij kruipt boven op me, ik kruip boven op hem. Hij draait me om en ik vraag hem om me op mijn buik te leggen, net als Timo altijd deed. Ik snap niet waarom ik me daardoor sterker voel. Misschien helpt het me te beseffen dat er meer mannen als Timo zijn, meer mannen die net zo dichtbij kunnen zijn bij het vrijen als hij. Of misschien hoop ik stiekem, met mijn ogen dicht, dat het Timo is die boven op me ligt. Nee, dat is het niet, of misschien ook wel. In ieder geval is het anders dan een paar weken geleden; mijn gedachten zijn niet meer bij Timo. Timo voelt slechts nog als een gedachte waar ik niet goed bij kan, een vergeelde foto waarop je de verschillende gezichten niet meer van elkaar kunt onderscheiden. *Baby can I hold you tonight.* De woorden van Tracy Chapman branden op mijn lippen en de vervaagde herinnering aan die ene koude nacht in IJmuiden versmelt in de warmte van Romans holte.

Om acht uur 's ochtends ren ik niet weg naar mijn eigen huisje of naar een e-mail van Tanya, maar draai ik me nog een keer om, nog dichter tegen Roman aan kruipend, wat hij beantwoordt met een allesomvattende omhelzing. Daar voel ik me fijn, hij voelt fijn. Hij is leuk. Ook nu nog, in de ochtend. Ik zet zelfs koffie voor hem in een koffiepot die ik nog nooit eerder gebruikt heb en met koffie uit een keukenkastje dat ik nog nooit eerder geopend heb. We ontbijten en ik geef hem een kus die ergens verdwijnt in zijn warrige donkere haar.

Hij kijkt me recht in de ogen aan.

Ik kijk terug. Al ietsje langer dan de vorige keer.

Leuk. Heel leuk. Maar nog steeds vreemd.

Na enkele weken neemt Buenos Aires steeds meer vorm aan en na de eerste maand begin ik me thuis te voelen in de straten die ik iedere dag opnieuw bewandel, in de cafés waar ik terugkom voor dezelfde kop koffie, in de wasserette die gerund wordt door een en dezelfde familie, in de kerk waar ik mijn kaarsen brand – of beter gezegd: met een muntje via een elektrisch mechanisme aanknipper –, in het gezelschap van de mensen met wie ik me omring. De stad krijgt een gezicht en is niet langer alleen een exotische naam uit een gids of een bladzijde uit een geschiedenisboek. De bakker is niet meer een bakker, maar is de dikke Pedro die zijn schort altijd net te strak om zijn buik heeft geknoopt. Het meisje van de wasserette is geen studente met een bijbaan, maar een jonge moeder van twee die zes dagen per week werkt. Het zijn allemaal heel kleine dingetjes, en soms zelfs te klein om bewust van te zijn – de glimlach van de jongen die mijn eerste koffie serveert en de herkenning van de schoenmaker als ik weer met een gebroken hak binnen kom lopen –, maar het zijn juist deze kleine dingetjes die de stad voor mij inkleuren. En het zijn deze kleine dingen die altijd blijven, misschien omdat ze te klein zijn om dichtbij te komen.

Langzaamaan verworden mijn ontmoetingen tot relaties, handelingen tot herhalingen en mijn bezoek aan het Zuid-Amerikaanse Parijs tot een verblijf. Nu ik een paar zondagen wakker geworden ben in de armen van Roman, de gezichten uit de buurt herken en zelfs begroet word door een enkele bekende, reist mijn thuis me voorzichtig achterna. De wasserette kent me onder de naam Sofi, de bakker weet welk brood ik aanwijs zonder mijn vinger te volgen, de buren begroeten me als een van hen.

Dit alles leidt tot een nieuwe wereld van belevenissen, waar mijn oude wereld een steeds kleiner hoofdstuk inneemt. Hier in Buenos Aires heb ik me ontbloot van de activiteiten en dagelijkse gewoonten die mijn leven bepaalden. Het lukt me hier, meer dan 11.000 kilometer van huis verwijderd, om mijn droomboom uit te tekenen en te beleven. Mijn dromen die samen met de stad steeds meer kleur krijgen.

*

Niet gebonden aan meer dan een laptop ga ik op zoek naar een bikini en een handdoek. Ik werp nog een laatste blik op het lijstje dat Tanya me heeft toegestopt:

Bikini, meer dan een. Handdoek. Slippers. Zonnebrand. Zonnebril. Boek. Kaftan.

Dat is duidelijk. Zon. De reis naar Montevideo is inderdaad mooi. Ik kijk naar de opdoemende kust van Uruguay met in mijn ene oor het gebrom van de boot en in het andere de prettige stem van Tanya. In een minimaal aantal woorden communiceren we een maximaal aantal gevoelens en gedachten. Ik luister en luister en luister en terwijl ik luister kijk ik naar haar lange donkere wapperende haren, die in de harde wind op het dek steeds weer nieuwe figuren maken.

Al uit onze eerste ontmoeting bleek dat Tanya de frisse wind is waar ik zonder dat ik het wist zo lang op heb zitten wachten en die in mij aangewakkerd moest worden. Zij is voor mij wat een onbevangen en nieuwsgierig kleinkind voor een grootvader rijk aan verhalen kan zijn.

Dat ze me uitnodigt voor een kort reisje *à deux*, zonder enig verleden met elkaar gedeeld te hebben, schrijf ik toe aan het internationale leven dat ze al twintig jaar leeft. Haar nieuwsgierigheid en ondernemerschap hebben haar de hele wereld over gevoerd, waardoor ze meerdere keren op meerdere plaatsen opnieuw is begonnen. Tanya volgt even graag als ik het pad van Siddhartha, anno 2007; ze is alleen al ietsje langer op weg. Ze neemt de dingen zoals ze zijn, en doet daar niet moeilijk over. Ze stopt haar energie liever in het willen begrijpen en ervaren ervan dan dat ze ze uitzichtloos probeert te veranderen. Tanya beschouwt ouder worden als een kans om zichzelf beter te leren begrijpen, in plaats van als een verlies van een leven dat via kraaienpootjes en slijtage door onze handen glipt. Naarmate ze ouder wordt, zegt ze, zijn haar relaties steeds minder gebaseerd op een gedeeld verleden en steeds meer op een gedeelde gedachte. Zo heeft ze leren leven volgens haar eigen principes en niet volgens die van anderen. En zo zingt ze mij de inspiratie toe als een moderne zigeuner door het leven te gaan.

In die gedachte luister ik naar het klotsen van het water tegen de boot, naast een vrouw die ik maar één keer eerder heb ontmoet. In een kleine zeilboot op weg naar Jose Ignacio, op dertig minuten afstand van Punta del Este, varen wij onze klamboe tegemoet, waaronder we vanavond samen in slaap zullen vallen.

'Heb je al een berg gevonden?' Als ik terugkom in het hotelletje, staart Tanya zo te zien al een paar uur naar het computerscherm voor haar.

'Misschien. Er zijn er wel veel.'

'Veel wat?'

'Oude ranches in Bariloche. Dat is in het westen van Argentinië, bij de Andes. Een prachtig natuurgebied met grote meren, dichtbegroeide bossen en witte bergen.'

'Ha, een berg.'

'Heel veel bergen.'

'Wat ga je daar nou precies doen, in die bergen?'

'Een pension bouwen. Wandelen. Wonen. Oud worden.'

Ik kijk haar vragend aan en ga zitten in de hoek van de bank. 'Vertel.'

'Wat valt er te vertellen? Ik ben vijfenveertig, met het gevoel dat mijn leven al tien jaar stilstaat. Het wordt tijd dat ik eens ga beginnen aan hoe ik het me had voorgesteld toen ik zo oud was als jij. Het enige waar ik bang voor ben is dat de stilte me te veel wordt.'

'Dat zal wel meevallen, je gaat toch een pension bouwen? Als je pension eenmaal staat ben je als een kind zo blij dat je buiten de rust kunt opzoeken. En trouwens, je went vast snel aan het ritme van je nieuwe omgeving.'

Het is niet meer dan treurige ironie om zo te kunnen verdwalen in het spinnenweb van mogelijkheden dat voor slechts enkelen van ons is uitgezet, en in die doolhof al ons relativeringsvermogen kwijt te kunnen raken. Maar eenzaamheid is niet te meten in logische verbanden, slechts in belevenissen.

'Je hebt gelijk. Ik heb er ook heel veel zin in. Misschien dat een paar timmermannen wel handig zijn om alles op te bouwen. Wat vind je van deze?' Ze wijst op een oude *estancia* op 900 kilometer afstand van Buenos Aires.

'Ver.'

'Ik heb er wel altijd van gedroomd, de bergen. Help je me een goede berg uit te zoeken?'

'Een berg uitzoeken? Niets liever.' We zoeken en we zoeken, maar het enthousiasme waarmee Tanya de dag begonnen is, blijft steeds verder achter die ene besneeuwde bergtop in de Andes hangen. 900 kilometer is wel verdomde ver weg.

De dagen gaan langzaam voorbij. Ze zijn lang, stil en toch verrassend. José Ignacio ligt op een punt met aan twee kanten kust, zee en wind. Op de punt staat een vuurtoren, het ijkpunt van het stadje en tevens het meest voorkomende beeld op een ansichtkaart. Het is begin mei, de herfst komt voorzichtig om de hoek kijken, maar iedere middag wordt die rond klokslag vijf weggeblazen door de nog altijd waaiende zomerwind. De vaste bewoners draaien hun welkomstborden nog iedere ochtend afwachtend op OPEN. Het is warm voor de tijd van het jaar. De galeries en kleine designwinkels komen uit het donker tevoorschijn als de deuren opengegooid worden en het licht wordt aangeknipperd.

Er is een estancia – een Argentijns landhuis. Er zijn twee hippies, Irene en Gonzalez, die na veel omzwervingen samen in José Ignacio terecht zijn gekomen. Er zijn drie honden en er is een kat, Charlotte. Veel zingende vogeltjes en rood of blauw gekleurde libelles. Er zijn acht kamers waarvan er zeven leeg staan, wij zijn de enige gasten, niemand die nog een warme nazomer verwacht. Er is een halfdove vrouw die speciaal voor ons naar de Pasado komt om ons ontbijt te maken en het bed op te maken. Er zijn veel buurtbezoekers die graag binnen komen vallen voor een bord paella of een hijs van een jointje. Er is zon maar ook veel wind. Overdag is het de zon die het holletje van onze blote ruggen verwarmt, 's avonds is het de open haard. De Pasado is meer een thuis dan een hotel.

De eerste die opstaat, gast of gastvrouw, loopt de keuken binnen om heet water op te zetten en de halfdove vrouw op te sporen voor eieren en jam. Irene schuift bij het ontbijt graag aan, terwijl Gonzalez met grote stukken hout in de weer is. Ze hebben elkaar ontmoet in Madrid, nadat Irene eind jaren zeventig met haar eerste man het militaire regime van Argentinië was ontvlucht. Met haar eerste man is ze naar Europa gekomen om een beter bestaan op te bouwen. Dat bestaan begonnen ze in Amsterdam, waar ze een klein busje vonden dat omgebouwd kon worden tot rijdend huis. Via Antwerpen en Parijs zijn ze doorgereden naar Madrid om werk te zoeken. Zestien jaar, een zoon, een zware operatie en een scheiding verder ontmoette Irene de Spaanse Gonzalez, haar huidige partner, met wie ze na haar Europese omzwervingen is teruggekomen naar Zuid-Amerika. Niet naar de drukte van Buenos Aires, maar naar de stilte van Uruguay.

In dat uithoekje van de wereld zijn ze allebei de scrabbletoptien ingekropen. Iedere dag wordt er een paar uur gescrabbeld, vanachter de computerschermen. En als er niet gescrabbeld wordt dan wordt er opgeknapt, gekookt, of geschreven. Het is het leven waar Tanya van droomt om aan te beginnen.

Twee keer per dag zie ik een mooi jong stel langsfietsen op mountainbikes met een surfplank aan hun frame gebonden en vergezeld door een even mooie herdershond.

’s Ochtends rijden ze naar het oosten, om ’s middags, na de lunch van zelfgevangen en gebakken vis, de golven van het westen uit te proberen. Om ons daarna het verschil tussen beide kusten uit te leggen. Het is hier zo stil dat iedere nieuwe bezoeker wordt opgemerkt. En soms, als de stiltes lang duren, is het hier zo stil dat het even voelt alsof ik deel uitmaak van een stilleven in plaats van van een rondrazende aardbol.

De dagen beginnen vroeg, net als de nachten. Het is halfzeven als ik mijn ogen opendoe en zeven uur als ik gewassen en wel over het terras slof. De zon staat nog even laag als de wolken. Op een paar gekke figuren na is de lucht een grote blauwe koepel. Gezien het feit dat de dove vrouw nooit voor negenen aankomt en de rest van het huis nog slaapt besluit ik een stuk te gaan hardlopen. Mijn witte sportschoenen staan sinds mijn komst in Argentinië confronterend schoon en ongebruikt in de kast. Schuldbewust bekijk ik mijn lijf in de reflectie van een raam, maar constateer ik dat er, ondanks mijn Argentijnse dieet van rode wijn en rood vlees, voor het blote oog nog niets is bijgekomen. Er lijkt vreemd genoeg juist eerder iets af te zijn. Misschien zijn het de lange straten waar ik in Buenos Aires uren doorheen loop.

Hardlopen herinnert me telkens weer aan het belang van regelmaat en routine. Keuzes krijgen pas invulling als ze hoog op de prioriteitenlijst staan. Hardlopen is het lekkerste wat er is als het zo in je systeem zit dat je lijf er zelf om vraagt. De frisse lucht, de cadans van je voeten die in een geleidelijk ritme neerkomen, de soepele opeenvolging van gedachten zonder dat ze met elkaar om aandacht hoeven te vechten. Je lijf dat almaar door lijkt te kunnen gaan.

Als je erin zit.

De winst gaat naar de duurloper, niet naar de korte sprint.

Hijgend kom ik 3 kilometer verder tot stilstand, en constateer ik dat ik het gevecht tegen mijn hoofd, dat met veel leukere alternatieven komt, zoals stilstaan en in het zand liggen, verloren heb. De rest van de route wandel ik langs het water met mijn nog veel te witte sportschoenen in de hand. Het strand is leeg, op een parasol na. Eronder zit een oudere vrouw, beschut tegen de kou van de wind en de warmte van de zon. Ze leest een boek en kijkt af en toe op, de verte in. Ondanks het feit dat de vrouw het prima naar haar zin lijkt te hebben, vind ik het er toch een beetje ongezellig uitzien, zo in haar eentje op een leeg strand dat reikt tot de horizon.

Stilte wordt net zoveel onderschat als het overschat wordt.

Na een halfuur wandelen hoor ik de stem van Tanya. Ze moet mijn voetsporen gevolgd zijn; in een dorp van zeventig huizen, acht straten en één buurtsuper heb je elkaar snel gevonden.

'Sophia!' We lopen elkaar lachend tegemoet.

'Wat ben ik blij dat ik je gevonden heb! Ik kon niet wachten om je te vertellen dat ik volgende week al vertrek naar Bariloche. Ik kreeg net een telefoontje van James, een oude vriend die...' Tanya ratelt vijf minuten lang door. Dat het telefoontje geen toeval kan zijn. Dat ze domweg niet eerder aan James gedacht heeft. Dat deze ranch in Bariloche alle mogelijkheden biedt om een pension in te bouwen. Dat veel mensen uit de stad voor hun rust naar Bariloche gaan. Dat en dat en nog veel meer. Ik hoor Tanya's enthousiasme met gemengde oren aan. Het verheugt me haar zo te zien stralen, maar het wijst me ook op het feit dat ik zelf nog steeds zoek naar een thuis waarvan ik het bestaan nog niet ken en het weet-niet-wat niet weet te bedenken of te verwoorden maar dat ik, eventjes, in het dagelijkse gezelschap van Tanya gevonden had. De rest van de wandeling lopen we niet stilzwijgend naast elkaar, zoals de vorige avond, toen we naar de glitterende vuurzee keken in de donkere nacht door het oplichtende plankton aan de oppervlakte van de golven, maar klimmen we over de grote stenen die het zand van de groene begroeiing scheidt en fantaseren we over wilde paarden, *gauchos* en spannende reizigers.

’s Middags wordt de stilte van die ochtend doorbroken met de plotselinge komst van de Argentijnse jetset. Het leven speelt zich nog maar op 200 vierkante meter af, binnen de muren van La Huella, een strandtent die op internet nog meer geprezen wordt dan 55 in St. Tropez. De eigenaar is lang en dun met donkere krullen, die bij zijn slapen in grijze plukken groeien. Hij heeft ook een snorretje. Ik hou niet van snorren, maar deze man staat het goed. De glazen wodka worden naar eigen genoegen aangevuld, net als de frieten en de salades. Er zijn meer mensen dan stoelen. Het is kijken en bekeken worden. Ik zie mooie dandy’s en doorleefde hippies. Fotomodellen en oude dametjes. Polospelers en kunstenaars. Iedereen loopt de entree binnen als de personen die ze verkiezen te zijn.

Op de rug van een van de vrouwen die binnenkomt, staat net boven haar bikinibroekje LOVE IS A CHOICE getatoeëerd. De voeten onder haar lange slanke benen zitten onder het zand. Ze heeft iets heel rustigs en tevredens over zich heen. Haar hele verschijning heeft iets zonnigs.

Mensen zijn over de hele wereld hetzelfde. Mannen die om zich te onderscheiden in geperste pakken lopen of juist in een versleten spijkerbroek van zolder. Vrouwen die op het toilet hun lippen stiften, hun neptieten aandrukken of juist hun haar nonchalant in hun gezicht laten vallen. Hier op het puntje van Uruguay zijn de spelregels niet anders dan elders op de wereld, en ben ik vandaag doelwit van een – wat zal ik zeggen – wat oudere man. De pijlen liggen al klaar om afgeschoten te worden.

De man ziet me, kijkt naar me, lacht me toe. Ik had pas net bedacht dat ik mijn abonnement om op veertig-plus-een-beetje te vallen wil opzeggen, om hem in te ruilen voor dertig-plus-een-beetje, maar dan ontvang ik een roos bij mijn koffie van vijftig-plus-een-beetje. Maar ach, wat zal ik zeggen, de jaren staan hem goed. Met een warme blos op mijn wangen, veroorzaakt door de plotselinge gloed die door mijn lijf trekt, kijk ik in de richting van de man van wie ik vermoed dat hij een rozentuin heeft.

Hij zwaait.

Ik glimlach.

Hij wenkt me.

Ik sta op. Als liefde een keuze is, is geluk ook een keuze.

Hoe doorzichtig ook, aandacht heeft meer impact dan goed is. Argeloos pakt Mister Dandy met beide handen mijn gezicht vast, geeft me een kus op mijn neus en stelt zich voor als Pancho. Daar hou ik van, van een man die weet wat hij wil en dat ook laat zien. Een man wiens schouders recht vooruit staan en die met een gestrekte nek binnenkomt. Een man die opvalt, zonder dat het vervelend is. Een man die geen spelletjes uit de doos hoeft te halen om de interesse van een vrouw te winnen, maar die gewoon leuk is. Gewoon leuk. En een beetje machomacho. Dat vind ik sexy. Net als dat ik mannen in oldtimers en uniformen sexy vind. En dan kom je algauw op het dartboard van de wat versleten man terecht.

Mister Dandy is lang en slank, maar wel goed gevuld. Hij heeft benen, billen, armen, schouders. Een sjaaltje om zijn hals gebonden als een choker met daarboven een warboel van bruine en grijze haren. Een grote lach. Een charmeur, met spontane, vrolijke bewegingen die een zachte, misschien zelfs eenzame kant van hem verraden. Vaalgroene

All Stars zonder veters. Alsof hij zo uit een zwart-witfoto van de Franse iconen uit de jaren zestig komt lopen. Ai ai ai. Categorie Sophie. Heel erg categorie Sophie.

Samen met de caipirinha's arriveren twee extra stoelen, voor mij en Tanya, die deze mysterieuze man galant van de ober overneemt. Dan stelt Pancho me voor aan de rest van het gezelschap. Eenmaal aan tafel blijven mijn ogen een lang ogenblik rusten in die van Macarena. Macarena is lang en tenger. Haar lange golvende blonde haren vallen in een scheiding over haar schouders. Ze heeft haar benen opgetrokken op haar stoel en haar handen verdwijnen in de zakken van een grijze sweater. Gekleed in een oude spijkerbroek, witte gympjes en een oude trui, waaronder een wit bandje van haar hemd kruipt, is ze een en al vrouw. Dat hebben sommige vrouwen; die dragen zoveel in hun oogopslag dat hun kleding zich aan hun gemakkelijkheid aanpast, waardoor een bij elkaar geraapt zooitje van baggy jeans en een oversized overhemd nog sierlijk om hun lijf valt. Persoonlijk hou ik meer van zomerjurken en hoge hakken en vergrijs ik op oude gympen, maar dat is persoonlijk.

Naast Macarena zit Osvaldo. Osvaldo heeft een gezicht dat iedere karikatuur- of striptekenaar zich zou wensen als model. Zijn gezicht heeft geen beweging nodig om tot leven te komen, zo sprekend en open zijn zijn gelaatstrekken. Hij draagt een maffe bril, een maf petje, een maffe mengeling van gekleurde tweedehandsjes en onopvallende designerchic. Zijn Levi's is gescheurd op meerdere plaatsen, zijn – natuurlijk – All Stars zijn rood en zijn vest is donkergroen. Osvaldo heeft net als Roman een restaurant in Buenos Aires en ook hier in La Barra, een dorp op 15 kilometer afstand van waar de knie van Pancho tegen de mijne aan hupst.

De volgende caipirinha's volgen. Tanya raakt in een diep gesprek met Macarena. Ik met Pancho. Vanaf het eerste moment raken mijn benen de zijne, en schuren ze langs elkaar heen, iedere keer als hij in de lach schiet of ik vooroverleun om een slok van het groengevulde glas voor me te nemen.

De meeste ontmoetingen zijn slechts welkome onderbrekingen van de wereld zoals jij die op dat moment ziet. Maar sommige ontmoetingen overleven het moment en blijven nog dagen-, maanden-, soms jarenlang om je heen hangen, de lijnen in je gezicht verzachtend. Misschien is het de roos, de setting, zijn het de caipirinha's. Misschien zijn het zijn woest aantrekkelijke Argentijnse uiterlijk en mijn blonde, wilde haren boven mijn zongebruinde neus. Wat het ook is, het is de hele tafel meteen duidelijk dat we gecharmeerd zijn van elkaar. Alles versmalt tot het kleine hoekje dat Pancho en Sophie heet. Als een helikopter land ik op zijn schoot, de uitstrekkende stranden van Uruguay achter me latend, en raak ik gevangen in de magie van deze ontmoeting, die een loopje neemt met mijn kinderlijke fantasie over prinsen, draken en prinsessen. Ik weet alleen nog niet of ik bij de prins of de draak op schoot zit.

We lachen met onze ogen, onze mondhoeken, onze gebaren. Al pratend merk ik hoe bevrijdend het voelt om te kunnen kiezen voor wat ik van mezelf wil laten zien en wat niet. Niemand hier die weet van mijn ziekte, mijn pruiken, mijn boek. De stempels hangen thuis als dure prijskaartjes aan mijn naam. Die drie woorden lijken wel op mijn cv gedrukt te staan. Zo erg bepalen ze – nog steeds – mijn identiteit. Als marionetten uit een poppenkast, als wajangpoppen uit het schaduwtheater dansen we rond in de hoofden van de mensen om ons heen, zoals zij zich voorstellen dat we ronddansen. En als de voorstelling maar lang genoeg duurt, nemen we die identiteit, gevormd door al die hoofden samen, nog aan ook.

Hier weet ook niemand hoe het is om 's nachts over de stille grachten naar huis te lopen, van alle kanten omringd door lichtjes die zo uit Parijs lijken te komen. Om met de pont van het centrum van Amsterdam naar Amsterdam-Noord te gaan, de wind door je haren. Om met een hoge mast voor je deur wakker te worden, luisterend naar het klapperen van het zeil tegen de boeg.

Om de tien minuten vindt Mister Dandy wel een excuus om of door mijn haren te strijken, of een kus op mijn voorhoofd te geven. Hij vertelt en vertelt en vertelt. Visitekaartjes, titels – alles kan als je vreemd voor elkaar bent, en vooral: blijft. Zijn verhalen vallen me tegen. Ik weet niet of ik zijn verhalen als visitekaartje of als introductie op zijn leven moet beschouwen, maar mijn wangen zijn inmiddels al even warm als de roos rood is; ik gun hem dus graag het voordeel van de twijfel. Want als je twijfel niet toelaat, is er niets. En zoals ik al schreef: aandacht is sterker dan tegenslag, zeker als je eigen verlangen naar een roos je al op een veel eerder moment veroverd heeft.

Na drie caipirinha's zit ik in een oude zilveren Mercedes met roodleren bekleding en een wit dashboard. Ik weet niet waar we naartoe rijden, maar ook dat kan me niet zoveel schelen. Ik geniet veel te veel van de scène die we binnenrijden om me bezig te houden met wegwijzers.

Die filmscène begint bij een still van het dashboard. Terwijl Pancho in het Spaans langs me heen ratelt, glijden mijn ogen over dat dashboard. Een paar kleine draaiknopjes steken boven een oude radio uit. De kilometerteller is analoog en telt tot 180. Rechts van de kilometerteller wijst de toerenteller op het stukje tussen drie en vier. Het stuur is minstens even oud als de man naast me. En ook even mooi en aantrekkelijk om een hand op te leggen. Een oudje, geen automaat dus. De schakelaar is smal en hoog, net als in de Land Rover. De handrem zit ergens onder het dashboard verstopt, links van de schakelaar.

Ik hou van oude auto's. Meer dan zwart-witfoto's of klassieke architectuur brengen ze je naar een andere wereld, waarin verliefde stelletjes dicht tegen elkaar aan kruipen om te kussen onder een groot filmdoek. De auto's in vormen en kleuren die te mooi zijn om in een garage te verstoppen. Het is de wereld van de Amerikaanse cinema van de jaren tachtig, waarin een happy ending geen droom is maar een vanzelfsprekendheid. Net voordat het licht aangaat staat iedereen te springen van geluk.

'Sophie?'

'Si.'

'Ben je er nog?'

'Si.'

Pancho ratelt door, en opnieuw dwaal ik op het ritme van zijn verhalen af naar het decor waar we in mijn hoofd doorheen rijden. Hij zegt iets over heel hard werken om hier te komen en over een huis dat hij aan het bouwen is op het strand. Hij vertelt, ik kijk naar buiten. Het ritje erotiseert me. Hij achter het stuur, ik die gereden word. Het is makkelijk wegzakken in de verhalen van een man.

Aangekomen op de bouwgrond laat hij me alle vierkante meters zien waar gebouwd wordt of gaat worden. Charmeur die hij is, leidt hij me naar een bosachtig plekje aan een rivier die uitmondt in zee en gaat vlak achter me staan. Zachtjes hoor ik de bladeren onder zijn voeten ritselen en de takjes kraken. Langzaam voel ik hoe de warmte van zijn lijf dichterbij komt. Zijn adem verwarmt mijn nek, die koud geworden is van de natte namiddagwind. Hij strekt zijn armen over mijn schouders uit naar de horizon, die vandaag niet als een strakke lijn de zee van de lucht scheidt, maar als een woelige scheiding aan het woeste zeewater plakt. Hij blaast in mijn nek. Het kriebelt. Ik ril.

Hij blaast nog een keer. Ik ril opnieuw. Zijn adem wordt steeds gevoeliger. Lange tijd blijven we zo staan, en terwijl de stilte steeds meer aanwezig is raakt onze ademhaling elkaar zachtjes aan, in een ritme dat alleen wij kunnen voelen. Niets wil ik aan dit moment veranderen, en tegelijkertijd wil ik er alles aan veranderen. Ik wil hem teder kussen en heel wild zoenen. Ik wil hem liefjes aan zijn haren trekken, ik wil vreselijk genomen worden.

Hij is me voor. Zijn zachte, natte lippen landen in mijn nek. Kippenvel. Met een zachte streling stelt hij de haartjes in mijn nek gerust en strijkt hij ze glad. Weer landt er een kus in mijn nek. En weer. En weer. De kussen kunnen me niet snel genoeg gegeven worden. Ik leun achterover en leg mijn hoofd in de holte van zijn schouder. Voorzichtig laat ik mijn hele lijf wegzakken in de warmte van die holte, waar ik het ritme van zijn hart via zijn slagader voel kloppen. Kon ik maar in momenten gevangen blijven. In momenten als deze, waar mijn genot al mijn kleine verdrietjes en pijntjes die ik overal mee naartoe neem, overvloeit.

'En hier komt een schrijfhuisje voor jou.' Zijn hoofd is niet ver verwijderd van het mijne. Ik draai me naar hem toe.

'Oude romanticus.' Hij lacht, ik kan zien dat hij geniet van het vierentwintigjarige meisje dat voor hem staat, haar blik strak gericht op de zijne. Hij antwoordt door me door mijn haren te strelen, dat zout en stroachtig van de zee is geworden en blond van de zon, en geeft me een kus op mijn slaap. Dan pakt hij mijn hand en neemt me mee naar zijn auto. Opnieuw een ritje waarvan ik de eindstop nog niet ken. Opeens rijden we de weg af, een grasveldje op, dat met een wit hek van een wit huis gescheiden is. Zijn huis, blijkt als hij de sleutel in het slot steekt.

Het huis is niet groot en het is gebouwd van meer glas dan muur. Binnen is alles wit, op een paar kussens, glazen en tekeningen aan de muur na. Hij schenkt me een glas water in en wijst me op een paar schetsen op tafel. Het zijn de schetsen van de bouwgrond die hij me zojuist heeft laten zien. Meer onder de indruk van zijn bestaande huis dan van zijn droomhuis, loop ik de ruimte door, op zoek naar iets wat mijn aandacht voor een paar seconden kan vasthouden. Algauw dwalen mijn ogen terug naar Pancho. Hij daagt me uit, maar is afwachtend. Hij flirt, maar wacht op mijn antwoord. Dat antwoord besluit ik nog niet te geven. Het moment is me te dierbaar om nu al ingeluid te worden. Als een spaghettisliert rekken we het uit, allebei aan een ander eind trekkend, zodat hij langer en langer wordt, totdat de spanning zo groot is dat hij knapt.

We kussen. Precies zoals ik het me voorgesteld had, een aantal minuten geleden. Dan pakt hij me bij de hand en neemt hij me weer mee, naar buiten toe.

Eten. Hij schenkt mijn wijnglas bij, laat me mee-eten van zijn bord en lacht om mijn geïmproviseerde Spaans. Ik laat de nacht nog wat langer duren door aan te kondigen dat ik nog lang niet naar huis wil. Hij neemt me mee naar het casino in Punta del Este dat, in tegenstelling tot wat de glossy's beweren, volkomen dichtgegroeid is door lelijke hoogbouw uit Duitsland, goedkoop uitziende winkelstraten en toeristenbussen met Buquebus erop. Het zonnige Punta del Este is niet meer dan een veilig en luxe vakantieparadijs voor al die bezoekers die zoveel in de beautysalon hebben gelegen dat ze het benauwd krijgen van een stukje ongerepte natuur.

Aangekomen in het casino speel ik wat met zijn dure fiches en mijn goedkope, verwissel her en der een stapeltje en maak er een mooi kleurenpalet van, terwijl ik aan de roulettetafel in kleingeld win wat hij in grootgeld verliest.

'Je hebt geen geluk vandaag, Panchito, je kunt beter stoppen.'

'Ik weet het, *mi bonbon*. Wie geluk heeft in de liefde, heeft geen geluk in het casino.' Zijn woorden zijn niet nep of ongemeend, maar ze zijn wel gevaarlijk, want ze zijn even vluchtig als het moment, dat in een lange roes voorbijglijdt. Hij kust me op de mond, lang. Ik kus hem terug. Zijn lichaamstaal verraadt zijn verlangen, waardoor ik het mijne niet meer kan verbergen. Als hij me thuis afzet zoenen we als tieners die het aangewakkerde vuur van hun jonge lichamen net aan het ontdekken zijn. Zijn leeftijd bestaat niet meer, de mijne evenmin. In ons verlangen naar elkaar is hij niet meer dan een man die wil beminnen en ben ik niet meer dan een vrouw die bemind wil worden.

Alles staat stil, alleen wij bewegen. Er is geen geluid, behalve zijn adem en mijn antwoord. De wereld ruikt naar eau de cologne en motorolie, verder niets.

Opeens maak ik aanstalten om uit te stappen, bang dat de avond het zal verliezen van de nacht. Dronken seks zou deze nu nog volmaakte avond boven op de stapel teleurstellingen gooien die ik onderweg verzameld heb. Daar blijven ze liggen in een donker hoekje van mijn gedachten, om als een rommelig hoopje met de rest van mijn herinneringen te verstoffen.

Pancho kijkt verbaasd toe hoe ik aanstalten maak om uit

te stappen. Ikzelf trouwens ook. Het is zo lekker warm hier binnen in de auto. Ik zie mezelf vooroverbuigen om mijn tas te pakken, ik zie mijn benen van links naar rechts draaien, richting buiten, ik zie hoe ik mijn hoofd buig voor een laatste kus en ik voel een koude luchtstroom van buiten naar binnen glijden en me naar mijn keel grijpen. Geschrokken van de kou die buiten op me ligt te wachten, word ik angstig het moment aan de tijd te verliezen. Die angst trekt me terug in zijn hongerige omhelzing en drukt me met mijn warme lijf dicht tegen de zijne aan. Ik geniet van zijn verlangen naar mij, nog meer dan van zijn vreemde blote lijf om het mijne.

De wijn vertroebelt mijn gedachten. Ze schieten als vrije vuurpijlen door mijn hoofd. Chaos. De kloof tussen weten en doen wordt steeds breder. Irritant vind ik dat. Opeens hoor ik de klap van een autodeur die dichtslaat.

Ik sta langs de weg.

Alleen, in de kou.

Wil ik dat wel?

Ja, Sophie, dat wil je. De stem die in sommige boeken mijn geweten heet, in andere boeken mijn schizofrenie en in mijn hart Chantal, spreekt me bemoedigend toe en leidt me over de krakende houten balustrade van de estancia. De stem stopt me in bed, dat koud en vochtig aanvoelt, en sust me in slaap. En terwijl er een dansende vlinder om me heen fladdert, knettert het haardvuur zijn laatste vonkjes zachtjes in de lucht.

Het gebeurde blijft als een hongerige zwerm vliegen om me heen brommen. De dagen trekken voorbij, met al hun kleine veranderingen, zonder die ene dag los te laten. In elke man zie ik een stukje Timo. In elke mooie ontmoeting een stukje angst dat alles voorbij gaat. Op de begraafplaats van Recoleta kijk ik naar het graf van Evita Perón, maar zie ik Chantal. En in de naam Recoleta lees ik Heidelberg.

Ik ren, maar kom geen stap verder van datgene waar ik het hardst van weg probeer te rennen. Overal waar ik ga neem ik de boeken van mijn nachtkastje met me mee. En overal probeer ik ze te herschrijven. In de armen van een leuke man die langsloopt, in de glimmende vakantiebrochures van Argentinië. In de loze drankjes alleen aan de bar, of de even loze koffies in het café op een even loos tijdstip van de dag. In de muziek van de tango, het opspuitende water van de boot naar Uruguay, de dolfijnen die ons achternazwemmen. Zelfs in de lach van Tanya, die me iedere keer als ze lacht met meer warmte vult. Maar ook daar lukt het me niet het stukje leegte dat ik bij me draag sinds ik Timo's deur achter me heb dichtgetrokken op te vullen. En nu ook niet, in de lust van Pancho. Kon ik het 's avonds maar met de rest van mijn kleding uittrekken en in een hoek smijten. Kon ik het maar samen met mijn lievelingsjurk bij de vuilnis zetten, met een definitieve knoop erin.

Maar mijn verlangen naar een nieuw leven is aangewakkerd, en daarmee is mijn verlangen naar mijn oude leven ingeslapen. Voor zolang het slapen duurt dan. Misschien dat een gewonde relatie pas definitief over is als er een nieuwe verschijnt. Zelfs in de vorm van een heel mooie nacht. Ik sla het boek Timo dicht, nog voordat ik het heb uitgelezen. Ik kan niet wachten om het, zodra ik weer thuiskom, van het nachtkastje naar de boekenplank met uitgelezen boeken te verhuizen.

Als ik een van de stranden van Uruguay voor de laatste keer afloop, kijk ik nog even achterom. Op de rug van de strandstoel waar ik de hele dag op heb gelegen zie ik een afbeelding van een blauwe vlinder. De wereld lijkt steeds voller te raken met waar mijn hoofd vol van is. Ik raak haar nog even aan voordat ik me omdraai.

Glimlachend vraag ik Tanya of ze denkt dat Chantal nog een beetje met mij meeleeft. Sommige vragen stel je niet omdat je het antwoord wilt weten. Sommige vragen stel je om dat antwoord in te kleden in een eigen waarheid. De gedachte dat Chantal via mijn beleving de zon vandaag heeft voelen branden op haar huid terwijl ze met haar voeten in het verkoelende water van de zee stond, verwarmt me.

'Absoluut.' Ze zegt het met een zekerheid die iets verklapt over een eerder verlies. Zou ze al een beslissing hebben genomen?

'Tanya, ga je het doen?'

Na een korte stilte geeft ze antwoord op mijn vraag. 'Ja, ik ga het doen.' Ze kijkt recht vooruit, naar waar de lucht de zee raakt. Haar haren wapperen langs haar gezicht, haar blik achterna.

'Snel?'

'Zodra we terug zijn. Ik denk dat ik een paar weken nodig heb om alles af te ronden in Buenos Aires en op gang te zetten in Bariloche.'

'Zal ik meegaan?' Ze draait zich om, naar me toe. Het is geen verrassende stap voor Tanya om na al haar reizen te vertrekken uit Buenos Aires, hoewel we over haar vertrek allebei wat gespannen zijn.

'Ik denk dat ik dat beter alleen kan doen.' Ik begrijp precies wat ze bedoelt. Als het plaatje al afgeschilderd is in je hoofd, klaar voor de veiling, dan heb je niets aan andermans meningen of ideeën.

We hebben geen verleden dat ons bindt, maar wel een

toekomst. En van de toekomst willen we allebei hetzelfde. We willen allebei, het liefst vandaag nog, aan een ander leven beginnen waarin ons verleden geen obstakel vormt. Aan een leven zoals we het in onze gedachten vorm hebben gegeven. Ik als reactie op alles wat er is gebeurd, Tanya als reactie op alles wat niet is gebeurd. Haar trein heeft te lang op een tussenstation stilgestaan terwijl de klok doortikte. De zee van tijd waarin ze zo lang heeft vertoefd, is geruisloos tot een meer geslonken. Met de dag wordt iedere stap die ze zet een klein stukje definitiever, bewuster.

Als er zoiets als een levenscyclus bestaat, waarin keerpunten onverwacht verschijnen, als in mist gehulde stationnetjes langs de *railway of life*, dan is station nummer 45 het keerpunt gebleken dat Tanya uit de verte nooit heeft kunnen zien liggen, maar dat ze pas, terugkijkend vanuit de trein onderweg naar het volgende station, door de mistige deken heen kan onderscheiden.

Haar wereld ziet er anders uit. Niet alleen kijkt zij anders naar de wereld, maar de wereld kijkt ook anders naar haar. Ze heeft een zeker pad afgelegd, het pad dat eindigt waar jongemeisjesdromen ophouden. Heel veel primeurs heeft ze al beleefd. Haar eerste maandverband. Haar eerste liefde liefgehad. Haar eerste geld verdiend. Haar eerste onderneming een onderneming zien worden. Haar eerste huis tot thuis gemaakt. En met het voorbijgaan van al deze primeurs, zijn haar verlangens gaandeweg veranderd, samen met haar lichaam. Ze is aangekomen in een andere doelgroep, een nog vreemd hokje, die van een andere generatie.

Hoewel het station verborgen lag onder een dikke mist, is haar beslissing om weg te gaan een langzame opstapeling van vele momenten. Ongewenste verjaardagen, eenzame jaarwisselingen, zwangerschappen, eeuwige geboortekaarten, eindeloze scheidingen. En ze gelooft niet in het voort laten kabbelen van tijd. Tijd pak je met beide handen aan, vul je in met al je dromen en buig je naar eigen wil. Tijd is niet iets waaraan je stilletjes gehoorzaamt en wat je zwijgzaam aan je voorbij laat gaan, totdat op een dag alles wat je niet hebt gedaan een grotere plek in je herinnering inneemt dan het kleine beetje dat je wel hebt gedaan. Keuzes zijn er om gemaakt te worden, niet om je te laten ontglippen.

Tanya is vijfenveertig als ze op de stoep staat van verandering. Ik ben vierentwintig als ik me op diezelfde stoep bevind, nadat mijn trein te hard en te lang heeft doorgedenderd. Allebei zijn we op zoek, en vastberaden om te vinden. Twee vrouwen, twee splitsingen, één gedachte. We lopen verder, het strand af. Terug naar Argentinië, maar allebei aan de voet van een nieuw begin.

*

●●●

Leven is veranderen, en dat is een les die de seizoenen jaar na jaar voor ons herhalen.

PAULO COELHO

Buenos Aires is niet de enige plek waar de verrassingen in het wilde weg rondvliegen. In het westen van Argentinië, tegen de grens van Chili, is het landschap groen, blauw en wit. Bossen, meren en bergtoppen.

In de buurt van Bariloche, in Nuequen, heeft Tanya, met de hulp van een Engelse vriend die al jaren geleden neergestreken is in de Andes, een oud landhuis gevonden. Veel families hebben hun estancias noodgedwongen te koop gezet. Het landhuis ligt in een vallei, op slechts twintig minuten van de stad Bariloche. Het uitzicht ervan wordt niet meer gekleurd door moderne hoogbouw en grote pakhuizen in de haven van Puerto Madero maar door open weilanden en de eerste toppen van het Andesgebergte. Vanuit de keuken kijkt Tanya naar haar eigen bergtop, op maar 30 kilometer afstand. Het woongedeelte van de ranch is in goede staat, maar de stallen en overige compartimenten zijn oud en vervallen. De laatste bewoner is op een dag op haar paard weggereden en niet meer teruggekomen. Het paard werd een aantal dagen later, drinkend aan een rivier, teruggevonden, maar de vrouw nooit. De zoektocht is nog steeds aan de gang, niemand weet wat er gebeurd is. De wildste verhalen doen de ronde. Het vermoeden is dat ze, terwijl ze haar paard liet rusten en drinken, is gevallen en verkeerd terecht is gekomen. Sensationele fluisterstemmen doen geloven dat ze is aangevallen door een van de wilde dieren die de Argentijnse *county* bevolken. Er gaan wel meer geruchten over wilde beren en hongerige wolven, maar die verhalen zijn allemaal diep weggestopt in het dichtbegroeide bos.

Tanya past zich net zo gemakkelijk aan haar nieuwe omgeving aan als een boom aan de wisseling van de seizoenen. Met de dag lukt het haar beter de maalstroom van activiteiten waarin ze ergens op de ladder van twintig naar veertig is terechtgekomen, verder achter zich te laten. Net als haar vriendin Maria is ze zo vaak van omgeving veranderd dat er geen verrassingen meer zijn om nog tegen te komen. Toch voelt het anders, definitiever misschien, als ze haar spullen uitpakt en er een nieuwe plek voor zoekt. Ze zet alle spullen neer met de gedachte dat ze ze niet meer zal verplaatsen.

Na een paar dagen opruimen, opknappen en schoonmaken, glijdt Tanya voorzichtig in de badkuip en laat ze de warmte van het schuimende water over zich heen komen. Als ze de kraan van het bad dichtdraait, sluit de stilte zich als twee vreemde armen om haar heen. Een paar minuten lang is er niets anders. Onbekende, angstaanjagende stilte, totdat ze haar ogen sluit en zich concentreert op de geluiden die erin schuilgaan. Ze hoort het verschuiven van bladeren, het zachtjes heen en weer zwiepen van takken op de beweging van de wind. Het is de winter die ze aan hoort komen. Haar lichaam ontspant, haar gedachten komen tot rust, de stem in haar hoofd, die met de jaren steeds harder is gaan piepen – ze hoort hem al bijna niet meer. Alles in haar gezicht begint zachtjes te lachen. Haar wenkbrauwen, die steeds meer in een streep waren gegroeid, trekken zich terug in hun vertrouwde ronde vorm. Haar wimpers beginnen te krullen, haar groene ogen te fonkelen. Lijnen verdwijnen, een stralende blos komt tevoorschijn. Haar bleke wangen kleuren roze.

De lichte aanzet van vermoeidheid onder haar ogen verdwijnt. En zonder dat je het met het blote oog kunt zien verschijnt er een glimlach om haar lippen, die haar mondhoeken doet krullen en haar lippen rood kleurt. Herboren valt ze in een lichte slaap.

De telefoon gaat, maar ze hoort hem niet.

Storende gedachten aan e-mails die geschreven moeten worden en dingen die geregeld moeten worden komen bovendrijven, maar hoe harder ze zeuren, hoe harder ze worden weggeduwd door haar behoefte aan een vrijheid die ze lang niet heeft gevoeld. Aan de oppervlakte is ze doodsbang voor de nieuwe onzekere weg die voor haar ligt. Alle lijnen die ze heeft doorgesneden, haar hele klantenbestand dat ze heeft opgebouwd in de afgelopen jaren – weg. Maar er is iets sterkers dan die angst, iets wat sterker in haar geworteld is dan de zin om alles terug te draaien nog voordat het de kans krijgt werkelijkheid te worden. Onder al haar vragen en onzekerheden voelt ze een vertrouwen branden, een gevoel dat sterker is dan haar behoefte aan rust en stabiliteit. Een onbeduidende stem die zelfs in haar dromen niet ophoudt te praten. Dit onaantastbare en onverklaarbare gevoel lijkt haar meer antwoorden en zekerheid te geven dan het kleine kapitaal dat ze de laatste jaren heeft opgebouwd en kan aanwijzen als een getal op haar bankrekening. Ze put rust uit iets wat ze niet kan vastpakken of uitleggen. Iedere stap die ze zet klopt, iedere nieuwe deur die ze opendoet komt haar bekend voor, alles staat of hangt op zijn plaats. Haar badjas, haar warme sokken, haar werktafel. De borden en de kopjes. Zelfs de hoge, lege ruimtes die met al hun kaalheid om opvulling lijken te vragen, ontbreekt het aan niets.

Tanya is thuis.

Een auto toetert, ze kijkt niet op. Het warme water om haar heen koelt stilletjes af. Toch is er niets wat haar in beweging krijgt, totdat er op de deur wordt geklopt. Ze schrikt op en blijft een paar lange tellen rechtop in de badkuip zitten. Er wordt opnieuw geklopt, nu ook geroepen.

'Tanya?' Ze herkent de stem van haar Engelse vriend James en klimt uit bad, glijdt in een warme grote badjas en roept terug.

'James?'

'Ja, ik ben het.' Ze opent de deur. Een koude windstroom komt samen met James naar binnen. De lente is in volle bloei, maar de echte warmte laat nog op zich wachten.

'Waar was je? Ik sta al tien minuten voor je deur.'

'In bad.'

'O, sorry. Ik denk dat ik iemand voor je gevonden heb. Juan, een jongen uit de buurt. Hij is al een tijdje op zoek naar onderdak.'

'En?'

'Jullie kunnen elkaar misschien helpen. Hij kan je helpen je oude ranch op te knappen tot je eigen paleisje. Ik denk dat een paar sterke handen wel van pas zullen komen, en jij kunt hem aan een woning helpen. Je hebt meer kamers dan spullen.' Tanya kijkt hem twijfelend aan.

'Dat is wat mensen hier doen, Tan, *in the country*: elkaar helpen. Echt, ik denk dat het voor jullie allebei een goede oplossing kan zijn. Ik zou je niet zomaar met iemand opschepen.'

'Heb je al gegeten? Ik heb een hele kip in de pan, maar kan het nooit alleen op.'

'Ik dacht al iets te ruiken. Zal ik Juan ook vragen? Je hebt toch genoeg voor drie, waarschijnlijk.'

'Wacht daar nog maar even mee.' Tanya geeft James een mes en wijst hem op de kip op het vuur. Daarna zet ze de enkele borden die ze heeft uitgepakt op tafel en opent glimlachend een fles wijn.

*

En ik? Ik val in slaap om fris en energiek wakker te worden en aan mijn dromen te beginnen, in plaats van ze slapend te beleven. Zoals de wind van onheil voor de onschuldige Erendira begon te waaien toen ze in de novelle van Gabriel García Márquez haar grootmoeder in bad stopte, zo is de warme westenwind voor mij begonnen met waaien toen Tanya zachtjes op het strand in mijn hand kneep en daar een stukje van haar levenslust achterliet. Die levenslust, die nu over de vlaktes van Bariloche waait, waait hard door, mijn kant op. De laatste herfstwind heeft de zomer van dit jaar voorgoed weggeblazen en de winter verschuilt zich in iedere wegsluimerende bloem om op ieder moment de kleuren van de warme nazomer te kunnen verbergen onder een dik pak sneeuw. De laatste herfstbladeren, knalrood en knaloranje van kleur, hangen eenzaam aan de lege takken, in een lucht die steeds langer donker blijft. En met deze seizoensafhankelijke veranderingen wordt mijn bestaan weg van huis met de dag een stukje tastbaarder.

Aangestoken door de moed van Tanya, sta ik op met een zacht kriebelende onrust, die bij mijn tenen begint en als een horde miertjes over mijn lijf naar boven kruipt, nog voordat de zon de geheimen van de nacht ontloken heeft. De rust die ik tijdelijk in mijn nieuwe omgeving gevonden had, is veranderd in onrust, nu de handelingen tot herhalingen van eerdere belevingen zijn verworden. Die onrust brengt me opnieuw naar mijn boom, in de startschoenen om een tak hoger te klimmen. Dit keer niet om te vergeten, maar om te herinneren. Het is de boom die ik nog voor mijn vertrek heb getekend en voor het laatst heb bekeken toen ik 's ochtends nog zo erg aan de donkere lange haren – Timo is blond – naast me op het kussen moest wennen. Ik moet lachen om de kinderlijke simpelheid van de tekening.

Misschien is alles wel veel simpeler dan we denken, en is het niet zo vreemd om een vlindertje te volgen. Want het vlindertje, dat is er, net als mijn gevoelens en gedachten die soms sterker kunnen schreeuwen dan de woorden die ik uitspreek, maar die – omdat ik ze niet kan vastpakken – het nooit winnen van de logica die wel in woorden te vatten is.

Een nieuw begin vraagt om meer dan slechts een agenda om de dagen die voor je liggen in te vullen. Het vraagt om een plan. Een masterplan. Een dichtbebouwde logica. Mij ontbreekt het aan beide, een agenda en een plan, maar het begin is gemaakt op vliegwinkel.nl. Ik ga naar Rio. Zonder kant-en-klare reden, verklaring of argumentatie. En al helemaal geen dichtbebouwde logica. Ik ga naar Rio. Gewoon omdat ik niet zo goed weet wat ik met mijn lege agenda aan moet maar het tegelijkertijd weiger hem te laten verstoffen. En tussen de vliegaanbiedingen was mijn keuze snel gemaakt. Bij het aanklikken van verschillende bestemmingen werd ik opeens meegenomen door een blauw vlindertje op mijn computerscherm. Ze vloog mijn muisknop naar Rio. *Rio it is*. Ik zei het al, de logica ontbreekt nog.

Na een wandeling met de honden door de stad, klop ik op de deur van mijn bovenbuurvrouw Anna, voor een kop maté en een goed gesprek. Lees: een monoloog over haar overleden krankzinnige echtgenoot en haar drie bijna-doodervaringen. Niet dat ik daar nou heel veel energie of plezier uit put, maar vandaag is het een dag voor anderen.

Dat betekent dat ik de honden verwend heb met een wandeling waardoor de blaren op de achterkant van mijn hielen – van mijn mislukte renpoging in Uruguay – tot plakkerige wonden zijn uitgegroeid, en dat ik inmiddels op de hoogte ben van al het onheil in Anna's leven. Het berooft me in één middag van de wens om zo oud te worden dat ik de hele dag achterover in een wiebelstoel op de veranda heen en weer kan liggen schommelen.

Na drie potten maté valt Anna eindelijk stil, en vraagt ze opnieuw wat ik als jong meisje in mijn eentje in deze grote stad doe. Of dat echt allemaal nodig is voor een boek. 'En trouwens, er zijn al zo veel boeken over het leven geschreven.'

Hoppa. Nog een droom armer. Ik verontschuldig me dat ik nog boodschappen moet doen en klop gedesillusioneerd bij mijn onderbuurman, de dikke Paco, aan.

'Heb je al boodschappen gedaan?' vraag ik hem door de deur heen.

Terwijl hij door diezelfde deur terugroept van ja, maar dat er altijd ruimte voor meer is, opent hij de deur en graait hij naar zijn jas en zijn hoed aan de kapstok.

'Waar gaan we heen?'

'Wacht maar af, guapa, ik neem je mee naar de lekkerste worstjes van de stad.' Paco wrijft met zijn mollige handen over zijn dikke buik, die gevangenzit in een veel te klein overhemd.

*

'Niet veel meer dan een oude schuur, hè?' zeg ik terwijl ik het gekrulde snoer van de telefoon tussen mijn vingers recht probeer te strijken.

'Je hebt de foto's dus inmiddels ontvangen. Zo oud is het niet, hoor. Het gedeelte waar ik woon is prima. En er is een geweldige ruimte met hoog plafond voor die enorme tafel en al die kinderen van je,' antwoordt Tanya.

'En al jouw exotische reizigers.'

'Precies. Wanneer kom je langs?'

'Kun je je dat oude autootje nog herinneren dat al die tijd om de hoek stond, op Tegensta en Brasil? We zijn erlangs gelopen op onze eerste avond. Je vond het zo'n schatje.'

'Ja?'

'Ik ga daar morgen eens naar kijken. Als het in goede staat is kom ik een dezer dagen naar je toe gereden, voordat ik naar Rio ga. Heb je al spannende bezoekers?'

'Rio?'

'Ja. Rio.'

'Betekent dat dat je je reis voortzet?'

'Ja.'

'En niet meer terugkomt naar Argentinië?'

'Ik denk het niet, nee.'

'Hè bah. Nou ja, we wisten het al die tijd al, natuurlijk...'

'O ja?' onderbreek ik haar.

'Ja, je bent toch al die tijd al op een grote reis.'

'Ja,' zeg ik aarzelend. 'Vertel me nu maar eens over Bariloche. Hoe zit het nou met je bezoekers?'

'Ik krijg een bewoner.'

'O. Vertel?'

'Juan. Hij is op zoek naar onderdak. Ik kan hem een bed aanbieden in ruil voor zijn spijkers en planken. Het moet een goede jongen zijn, volgens James.'

'Heb je hem al ontmoet?'

'Ja. Hij is gister komen eten samen met James.'

'En?'

'Aardige jongen. Ik heb er wel een goed gevoel bij.'

'Die Juan klinkt als de perfecte oplossing voor die oude schuur die je gekocht hebt.'

'Hoe is het daar?'

'De zon schijnt. Druk in de stad. Het huis is fijn. Maar ik heb zin om weer weg te gaan.'

'Timo?'

'Niets. Bevestigt alleen maar wat ik al die tijd al wist.'

'Kom maar gauw hierheen. Ik mis je.'

'Ik jou ook.'

Even is het stil. Zoiets hebben we elkaar nog niet eerder gezegd. Ik krijg er zelfs rode wangen van.

'Fijn hè,' zeg ik dan zachtjes in de hoorn.

'Wat is fijn?' vraagt Tanya voorzichtig terug.

'Dat we elkaar gevonden hebben.'

Tanya begint te lachen. 'Ja, Sophie, dat is erg fijn.'

Met de dag wordt Tanya een groter persoon in mijn leven. Ook nu ze al een maand geleden vertrokken is, nadat we maar een paar dagen met elkaar hebben doorgebracht, leeft ze in mijn gedachten een beetje met me mee, helpt ze me helder na te denken en de keuzes die ik gedwongen ben te maken scherper uit te pluizen. Zij is degene die me de woorden aanreikt die ik zelf slechts kan denken in losse fragmenten. Ze is me altijd een stapje voor, waardoor ze me des te beter kan begeleiden de stappen te zetten die ik moet zetten om vooruit te komen. Ze is de spreuk waar ik naar op zoek was om mijn toverstokje opnieuw te laten zwaaien.

*

De volgende ochtend in Bariloche ziet alles er meer dan anders uit. Casanova heeft nog niet aangeklopt, maar de eerste van Tanya's bewoners is al gearriveerd. De eerste maand voor Tanya zat erop en Kerstmis stond al op de kalender aangekondigd toen Juan voor de tweede keer de oprit op reed om zijn spullen uit te laden en bij Tanya in te trekken. Juan heeft zijn hele leven op het platteland gewoond, in een klein plaatsje vlak bij Nuequen. Omdat hij niet had gedacht daar ooit weg te gaan, werkte hij hard om zijn spaargeld op een dag in een eigen huis te investeren. Toen de economie in 2002 op zijn gat lag en het kapitaal van de Argentijnen meer dan halveerde, besloot hij het geld dat hij nog overhad op te nemen en het op een heel andere manier te besteden: aan een rondreis door eigen land.

Na een jaar lang rondgereden te hebben, kwam hij aan in Bariloche, waar hij het leven dat hij leidde voortzette en waar hij nooit meer weg is gegaan. Toen hij hoorde van de nieuwe bewoonster die haar intrek had genomen in de vervallen ranch die al een paar jaar leegstond, had hij James gevraagd om te peilen of zij geen klusjesman nodig had. Juan wist precies wat de ranch nodig had om bewoonbaar te worden en hij wist ook dat het complex groot genoeg was voor een extra bewoner. Hij kende alleen Tanya nog niet.

'Als we de schuur opknappen en erbij trekken heb je ruimte voor acht slaapkamers,' zegt Juan als hij samen met Tanya over haar landgoed wandelt. 'Twee in de linkerflank van het huis, drie rechts en drie in de schuur, die we tot klein paleisje gaan ombouwen. Je kunt zelfs nog een paar paarden nemen, en natuurlijk kippen en honden.' Bij dat laatste geeft hij haar een spottende knipoog.

'Weet je, Juan, ik denk dat ik dat nog ga doen ook.'

'Je bent toch niet vies van een beetje werken?'

'Helemaal niet. Hoe eerder, hoe beter. Ik kan niet wachten om deze plek om te bouwen tot een klein paradijs.'

'Mooi. Laten we dan in huis beginnen, dan kun je je eerste gasten misschien al met kerst ontvangen.'

'Kerst?'

'Is dat te vroeg?'

'Nee, ik had alleen nog helemaal niet nagedacht over wat ik met kerst wilde doen.'

'Ga met mij mee, naar mijn familie. Je bent altijd welkom.'

'Dankjewel, maar ik blijf liever hier. Denk je echt dat de eerste kamers met kerst af kunnen zijn?'

'Als je een beetje handig bent.'

Tanya kijkt op de kalender: 8 december. Nog zestien dagen voordat de geluiden van het dorp afsterven en de lichten binnenshuis voor drie dagen branden. Ze loopt door het huis, door de uitgestrekte en hoge ruimte die aan de keuken grenst. Met haar vinger laat ze een wit spoor op de met stof bedekte muren achter, onder haar voeten hoort ze planken kraken. Het is haar favoriete ruimte in het huis. Het is er leeg, maar tegelijkertijd is alles aanwezig om de witte muren met leven te vullen. Een open haard met grote schouw, hoge glas-in-loodramen die uit een oude kerk lijken te komen, een marmeren trap die in een krul omhoogdraait naar de slaapvertrekken toe op de eerste verdieping. En het allerbelangrijkste – een eindeloos lange tafel, waar eindeloos veel mensen aan kunnen eten. Tanya gaat zitten en veegt met haar hand het stof van de tafel. Het herinnert haar aan een verlaten plek in Rajasthan, India, waar ze samen met Maria heeft rondgereisd. De plek, het kasteel, de sfeer, het was er zo prachtig en tegelijkertijd zo verlaten en afgelegen. Dungarpur. Alleen de zware klank van de naam bracht haar al terug naar de spookachtige sfeer van het maharadjapaleis. De eetkamer hing vol trotse trofeeën. Tijgerhoofden, hertengeweien, grommende beren, zebrahuiden – de hele Indiase jungle gaapte hen tijdens het diner aan. Omdat Maria en zij de enige gasten waren, leken de ogen van de dieren hen extra doordringend aan te kijken en viel de lengte van de tafel extra op. Voor de grap gingen ze allebei aan het hoofd zitten, Maria aan de ene kant en Tanya aan de andere. Ze waren zo ver van elkaar verwijderd dat ze niet eens konden herkennen wat de ander op zijn vork prikte. De nieuwe tafel van Tanya is net zo groot. Drie minuten later rent ze met een zwabber en een dweil door het huis. Geen enkele ruimte blijft vergeten, geen een hoek ongezien.

Langzaam en geruisloos opgeslokt in een stroom die steeds harder begon te stromen, is ze steeds verder van haar eigen pad verwijderd geraakt om op een loze avond, thuis op de bank, van haar uitzicht over de haven genietend, geconfronteerd te worden met de vreemde uitkomst die het haar had gebracht. Misschien waren het de harde werkers boven in de hoge kraanwagens die haar met hun inspanning en lawaai wakker schudden. Misschien was het het stukje eindeloos uitzicht over de zee waarin zoveel te zien was dat ze steeds langer bleef kijken, steeds een stukje verder. Misschien was het gewoon de foto die in het raam stond, vijf maanden geleden gemaakt op haar verjaardag. Op de foto staat ze in een innige omhelzing met vier van haar vrienden, allemaal breeduit lachend, met lullige verjaardagshoedjes op hun hoofden. Vijfenveertig, en toen nog zo ver van het leven dat ze als twintigjarig meisje voor zichzelf had uitgestippeld. De foto staat nog steeds in het raam, maar dan met een heel ander uitzicht op de achtergrond: de hoge reikwijdte van de Andes.

*

Weer sta ik voor mijn koffer, en weer ben ik klaar om de wereld te omarmen. Omdat ik zo'n beetje voor allerlei weersomstandigheden gepakt heb, hoef ik maar weinig aan te vullen. En in Rio heb ik toch niets meer dan een bikini en teenslippers nodig.

Ateneo is de grootste boekwinkel van Buenos Aires en is gevestigd in een oud theater, waardoor de zin om er doelloos rond te lopen of in een stil hoekje te gaan zitten lezen bij vele bezoekers boven komt borrelen. Ook bij mij. Op zoek naar een nieuw notitieblok dwaal ik door het oude theater gevuld met boeken.

De afdeling Kantoorartikelen van Ateneo ligt vol met noodzakelijkheden die ik buiten de afdeling zelf nooit eerder noodzakelijk had geacht. Ik kies voor een zwart notitieboekje van Moleskine. Nadat ik heb berekend dat de kans om mezelf in een dichtbevolkte stad als Rio tegen het lijf te lopen maar klein is, en in het besef dat mijn eigen bed in de Jordaan nog niet lonkt, kom ik op de uitkomst dat ik nog wel wat langer onderweg zal blijven en schuif ik met drie boekjes richting kassa.

Onderweg naar de uitgang passeer ik een *cardboard* van een levensgrote Borges en een hoge stapel van het laatste deel van Felipe Pigna. Jorge Luis Borges hield van zijn stad; zijn eerste boek, *Fervor de Buenos Aires*, is een poëziebundel uit 1923 waarin zijn liefde voor de stad uit ieder woord spreekt. Er wordt wel gezegd dat Borges is gestorven uit liefde voor de stad. Het Buenos Aires van Borges is dan ook doordrenkt van zijn eigen romantische fantasie, die voor anderen moeilijk te zien kan zijn.

Alsof ik met het kopen van een schoon notitieblok een nieuwe deur heb opengedaan word ik gebeld door Julieta, hoofdredacteur van een uitgeverij in Argentinië en een kennis van Tanya. Ze vraagt me of ik tijd heb om voor hen Nederlandse boeken te lezen en daarover verslagen te maken.

De volgende dag loop ik in gestreken jurk, sandaaltjes en gewassen haren nieuwsgierig de brede trap op van de grootste uitgeverij van Argentinië, voor mijn eerste werkbespreking in Argentinië. Het kantoor ligt aan Calle Alem, aan de rand van de haven, uitkijkend over de Rio de la Plata. Het blijft een indrukwekkend uitzicht, dat ik moeilijk kan loslaten: al die pakhuizen, hijskranen, masten, appartementen van glas en oude gebouwen door elkaar.

Het kantoor van Julieta is op de twaalfde verdieping, vertelt de portierwachter. Als de lift zijn deuren opent, kom ik terecht in een wereld van boeken. Rijen boeken, die allemaal, als iedereen naar huis is, een glimp van de rivier kunnen opvangen. De boeken liggen gestapeld op de planken. Martínez. Cortázar. Borges. Iparraguire. Esquivel. Maar ook internationale successen als Golden, Koontz en Chopra. Dromend sta ik naar de boeken van de grote schrijvers te kijken. De ruimte is een bescheiden versie van het kerkhof der boeken van Carlos Ruiz Zafón.

'Hoe is het daar?'

'Ik heb het autootje gekocht.' Tanya begint te lachen.

'Kom je hiernaartoe?'

'Ja. Ik vertrek morgenochtend, dan ben ik ergens in de avond bij jou.'

Na het stilletjes voorbijgaan van Sinterklaas, met een maan die achter de bevroren takken van Nederland verstopt is gebleven, rijd ik Kerstmis met een volle, schitterende maan tegemoet.

Het is negen uur. Na een hele dag hobbelen over de uitgestrekte pampa's van Argentinië kom ik aan bij de voet van de Andes, een landschap waarin bergen, meren en bomen de strakgetrokken horizon van de uitgestrekte groene velden breken.

Er zouden meer woorden voor eenzaamheid bedacht moeten worden. Voor de man die in zijn gestreepte zondagse pak midden in de nacht een roos met geld aan de arme familie onder zijn balkon geeft. Voor Anna achter het raam die haar leven slechts nog in herinneringen kan beleven. Voor Tanya, die altijd haar dromen gevolgd heeft, maar toch nog op zoek is. Voor Chantal, die alles heeft moeten loslaten toen haar doodvonnis werd uitgesproken. Voor de vluchtige warmte van een 24 uurshotel. Voor de ongestilde honger naar een plaatje dat in allerlei gedaantes op je pad komt, gedaantes die niet altijd te herkennen zijn, omdat ze in het oorspronkelijke plaatje een ander kleurtje hadden. Voor de roos die bij mijn koffie arriveerde. Voor de donkere nacht waar ik nu doorheen rijd. Zo zouden er ook meer woorden voor liefde moeten zijn.

Het paradijs van Tanya komt steeds dichterbij. Zo dichtbij dat ze alleen maar heen en weer hoeft te lopen om het onder haar voetzolen te zien groeien. Zo gaat dat met paradijzen: die groeien opeens, als je even niet kijkt, onder je voeten vandaan met iedere spijker die je in de muur slaat of iedere maaltijd die je voorbereidt. Voor mij komt het paradijs ook steeds dichterbij. Tanya's paradijs, dat nu ook een beetje het mijne is. Ik rijd de laatste kilometers tegemoet.

Als ik aankom bij Tanya lijkt alles te leven en te bewegen. De planken die kraken, de plafonds waarvan het oude stuc dansend naar beneden dwarrelt. De wind die door het trappenhuis zingt. Een machine die staat te brommen.

Nieuwsgierig loop ik door de hal en volg ik de geluiden die uit het trappenhuis komen.

'Tanya?' roep ik naar boven. Geen gehoor. Dan maar de begane grond ontdekken. De eerste deur die ik open, opent de ruimte naar de keuken. Typisch Tanya: door de hele keuken verspreid liggen souvenirs die een teken van leven verraden. Wild opgestapelde pannen, die erbij staan alsof ze elk moment om kunnen vallen. Een fles wijn op het aanrecht, al voor meer dan de helft opgedronken. Ik kan de sporen van leven niet alleen aanwijzen, maar ook ruiken. Uit de oven komt me een warme zoete geur tegemoet; de geur van gegrilde paprika's. Als ik buk om de oven in te kijken, hoor ik een vreemde stem.

'Mag ik weten wie je bent, voordat je er met ons avondeten vandoor gaat?' Ik draai me om en schrik op. Aan de andere kant van de keuken zit een wat oudere vrouw aan het hoofd van, zo op het eerste gezicht, een bijster lange tafel. Het moet de tafel zijn waarover ik Tanya zoveel heb horen vertellen.

'Ik ben Sophie, een vriendin van Tanya uit Buenos Aires.'

'Ah, jij bent Sophie. Ja, ze zei al dat je vandaag zou komen.'

'En u bent?'

'Zeg nooit u tegen een vrouw met rimpels. Elke vrouw met rimpels wil haar leeftijd vergeten.' Ze geeft me een knipoog en neemt een slok van haar thee, maté waarschijnlijk.

'En jíj bent?'

'Goed zo. Ik ben Charlotte Dupont, ik ben hier vijf dagen geleden aangekomen.' Als ze praat trekt ze een beetje met de rechterkant van haar bovenlip. Alsof ze iets heel belangrijks vertelt. Ze draagt zijden handschoentjes – zogenaamd tegen de kou – en een kanten blouse, met daaroverheen een grof gebreid vest.

'O, dat had Tanya me helemaal niet verteld.' Zo te horen schiet het op met de bewoners.

'Ik was ook nog niet zeker of ik langer dan een nacht wilde blijven.' Terwijl ze dat zegt, wijst ze met haar hand in de richting van het lawaai, dat me tot voor kort geleden nog deed denken aan simpel timmerwerk, maar sinds enkele seconden klinkt als een slachting van een of andere wilde diersoort. Ik hoor gekrijs en daarna een keiharde knal, alsof het hele plafond zojuist naar beneden is gezakt. We rennen de hal in en sjezen de trap op, waarvan alle treden verborgen gaan onder een dikke laag stof.

'Zo, die muur is eruit.' De stem van Tanya. Mijn vriendin is verstopt in een grote overall en onder een verwilderde bos haren. De overall wijst naar een stapel stenen die aan mijn voeten liggen.

'Tanya?' vraag ik duidelijk verontwaardigd.

'Sophie?' Ze draait zich om. 'Je bent er al!' Ze vliegt me om de hals en drukt me een stevige kus op mijn wang. 'En je hebt Charlotte ook al ontmoet, zie ik.'

Het gezelschap van langdurige bezoekers en kortstondige bewoners breidt zich sneller uit dan verwacht. Bariloche blijkt hoog genoteerd te staan bij iedereen die tussen zoeken en vinden in hangt. Het is er druk dus. Juan vindt telkens nieuwe excuses om naar zijn gereedschapskist te grijpen, waardoor de oude estancia er steeds mooier bij ligt. Maria heeft de deur van mijn huisje in Amsterdam achter zich dichtgetrokken om bij Tanya de kerst door te brengen. Ook James is sinds de komst van Maria niet weg te slaan, onder het mom van de naderende kerst en een helpende hand, maar iedereen, behalve Maria zelf, heeft door dat hij betoverd is geraakt door haar glazig blauwe ogen.

Zo komt het dat er niet meer één of twee, maar zes borden op tafel staan, de hele dag door. Er is hard gewerkt; twee dagen voor kerst zijn al zes van de acht vertrekken bewoonbaar en bewoond. Aan de lange eettafel wordt het meest geleefd. Charlotte zit er graag te lezen, ook al doet ze alsof de drukte haar te veel wordt door af en toe demonstratief naar haar kamer te vertrekken. Maar ik zie haar vaak van haar boek opkijken naar de opbloeiende liefde tussen Maria en James en naar de twee vrouwen die bezig zijn de ranch aan te kleden. Iedereen helpt mee de estancia het leven in te blazen dat er een paar maanden geleden uit geblazen is, het dichtbegroeide woud in, toen de vorige bewoonster wegreed om niet meer terug te komen.

De eerste betaalde gast die zich heeft gemeld is Charlotte. Na het vallen van de muur boven ons, vertelt ze me dat ze uit Engeland weggegaan is, direct na de dood van haar man.

'Ik wilde nog altijd naar Zuid-Amerika toe, maar mijn man hield niet van reizen. Ik ben meteen vertrokken.' Ze geeft me weer een knipoog, die wat onafhankelijks en bevrijds moet uitstralen, maar ze maakt op mij een wat vereenzaamde indruk.

In een van de hoeken van de eetkamer, vlak naast de deur naar de keuken, hangt een oude porseleinen wasbak, wit met blauwe bloemetjes erop. Tanya is al een paar dagen druk met de betegeling van de vloer eronder. Al duizenden keren heeft ze hardop bedacht hoe ze die met wit mozaïek zal bedekken. Ze draagt nog steeds haar oude blauwe overall in plaats van haar kleurige hippiejurken, en van haar anders zo sierlijke handen zijn de groeven zichtbaar door het stof.

Charlotte kijkt met stijve bovenlip toe hoe de elegante Tanya steeds meer verandert in een grove timmervrouw. Ik heb haar onthuld dat Tanya er tot een paar maanden geleden nog heel anders bij liep en wees daarbij op de foto die in het raam staat.

'Kind, moet je dat niet aan Juan overlaten?' vraagt Charlotte.

'Het gaat wel, hoezo?' Tanya antwoordt zonder om te kijken.

'Nou, ik maak me een beetje zorgen om je. Toen ik hier aankwam viel je haar nog glanzend over je schouders, maar nu doet het me denken aan dat van een oude verwilderde zwerfster bij ons in de buurt. Ze valt extra op vanwege de buurt, weet je wel. Ik woon in het goede stuk van Chelsea, je weet wel, bij Beaufort Street. Nou ja, daar loopt dus regelmatig een oud vrouwtje, en haar haar, ach kind, dat is van ellende aan elkaar gegroeid. Dat wil ik bij jou toch niet zien gebeuren. Wanneer heb je voor het laatst een borstel gezien?'

Tanya fronst, staat op en kijkt in de spiegel boven de wasbak. Charlotte heeft gelijk. Ze ziet er niet uit. Haar haar hangt in vieze slierten naar beneden. Haar anders verzorgde wenkbrauwen groeien in een dichte streep naar elkaar toe. Haar nagelranden zijn al drie weken permanent zwart. Toch oogt ze een en al ontspannen.

'Je hebt gelijk, Charlotte, dankjewel. Daar mag ik wel wat

aan doen.' Ze staat nog altijd voor de spiegel, alsof ze er al maanden niet in gekeken heeft.

'Je kunt niet zeggen dat er hier geen gewillig mannenvlees rondloopt, of zo,' zegt Charlotte terwijl ze argeloos verder leest in haar boek.

'Wat bedoel je daarmee?'

'Ach kind, dat weet je toch?'

'Nee, dat weet ik niet.'

'Nou, er lopen er twee rond. Dat kan niet een al te moeilijke som zijn.' Charlotte geeft me een wat trotse blik, alsof ze zojuist een ontdekking gedaan heeft.

'Bedoel je James? Doe niet zo raar, James en ik kennen elkaar al...'

'Juan natuurlijk, domme tut.'

'Juan?'

En even later: 'Maar die is nog niet eens dertig.'

'Nou en? Jouw lijf is strakker dan dat van menige twintiger van tegenwoordig. Je moet eens zien wat die Engelse lellebellen vandaag de dag allemaal in hun mond stoppen. En dan nog in jarretelles de deur uit. Het zou verboden moeten worden, met die witte dikke dijen.'

'Hé, Charlotte, wees eens wat aardiger. We zijn niet allemaal zo mooi als jij geboren,' zegt Tanya spottend.

'Lach er maar om, maar denk aan wat ik je heb gezegd. Die Juan staat om je te springen. En jij kunt ook wel wat gebruiken, zo te zien.'

'Hoe durf je!' Tanya smijt een vieze werkdoek in de richting van Charlotte. Charlotte, die ongestoord door blijft lezen, ziet het gevaar niet aankomen. In de roos. Het fijn geschilderde gezicht van Charlotte zit onder de plamuur.

'Het is tijd voor een bad, geloof ik,' lacht Tanya, en ze meent in de stijve lip van Charlotte een lachje te ontdekken.

'Maar eerst gaan we nog even wandelen met de honden, toch Sophie?'

'Absoluut.' De ruwe omgeving van de ranch vraagt meer om bergschoenen dan om kant en pumps, maar Tanya wil dat iedereen inclusief Charlotte zich thuis kan voelen, en daarom legt Juan met grote witte tegels een pad aan over het terrein.

*

Het is tien uur in de avond als Tanya opgekruld tegen me aan komt zitten, onder een grote deken voor het haardvuur. De winterzon verwarmt ons overdag wel, maar 's avonds blijft er weinig van de warmte over die 's ochtends achter de bergen tevoorschijn komt.

'Sophie, ik heb je eigenlijk nooit verteld waarom ik je meteen in mijn hart heb gesloten.' Ik trek mijn schouders een beetje ongemakkelijk op, zoals ik altijd doe als iemand me recht in de ogen kijkt om me te vertellen wat hij of zij van me vindt.

'Ach, dat hoeft toch ook niet? We houden gewoon van elkaar. Dat heb je soms.'

'Nee, Sophie, er is meer. En ik heb het er nooit over. Het gaat zo ver terug mijn leven in en het moment staat nu zo ver van me af dat het, als ik erover vertel, net is alsof ik over iemand anders praat.' Ik draai mijn hoofd naar haar toe, een en al nieuwsgierigheid.

'Ga je me vanavond over die iemand anders van lang geleden vertellen?'

Ze glimlacht. 'Graag. Het is wel een lang verhaal.'

'Dan maak ik nog wat maté en als ik terugkom wil ik de hele nacht naar je luisteren, totdat de zon opkomt en we de warmte van de open haard niet meer nodig hebben.'

Tanya vertelt, lacht, huilt en soms valt ze stil. Ik voel in alles met haar mee. Als haar lachrimpels tevoorschijn komen, staan ze al op mijn gezicht geschreven. En als mijn tranen opwellen, verdwijnen haar tranen al in mijn schoot.

Haar zus Isabella was degene die het levenloze lichaam van Tanya aantrof. Tanya wist niet dat verdriet zo groot kon zijn dat je niet meer van het leven kon houden. Dat je het zelfs niet meer kon opbrengen van je zussen en je ouders te houden. Van je lievelingseten. Zelfs niet meer van je dromen. Die begon ze eerst te haten, totdat alles haar onverschillig liet. Alles. Haar gedachten, haar ideeën, haar emoties. Zelfs haar familie.

'Dat is dan 6,70,' had de verkoopster in de drogist gezegd.

Zes pesos en zeventig cent kostte het om Manuel terug te zien. Ze is een heleboel vergeten van die maanden en met name die nacht uit haar leven, maar dat weet ze nog. Ontvoerd hadden ze hem, 's nachts in een busje. De moord was gepland. Er verdwenen die tijd niet veel jongens meer. Het einde van de junta leek voorbij. Tanya sliep die bewuste nacht niet bij hem. Ze zou de volgende dag vroeg op moeten om bij haar nieuwe werkgever te beginnen en ze wilde het niet riskeren om te laat te komen. Bovendien had ze geen geschikte kleding aan om op de eerste werkdag in te verschijnen.

Of ze zeker wist dat ze niet in zijn armen in slaap wilde vallen? Hij hoefde alleen maar de wekker een halfuur eerder te zetten. Binnenkort zouden ze in een huis wonen, dat was toch alleen maar omdat ze zich geen leven zonder elkaar konden voorstellen? Geen leven, en ook geen enkele nacht.

Toen ze die avond de deur achter zich hoorde dichtvallen, glinsterden haar ogen bij de gedachte aan wat de volgende avond zou brengen. Ze zouden samen naar een huis gaan kijken, in een nog rustig gedeelte van de stad, de haven, wat later een van de duurste gronden van Zuid-Amerika zou worden.

Manuel werd die nacht met geweld uit zijn bed gesleurd, in een busje gestopt en vermoord. Het was een van de laatste 'reinigingsacties' van de nieuwe idealistische generatie, die hun ideeën niet kwijt konden onder het militaire bewind dat die jaren overeind stond. Zijn lijk werd pas maanden later samen met een aantal andere gestapelde lichamen in een schuur twee uur landinwaarts gevonden. Haar laatste herinnering aan Manuel is zo tastbaar dat ze hem als een film aan en uit kan zetten. Zijn lach, zijn speelse lach, zijn guitige ogen, zijn lekkere lijf.

Weg.

Er staan vandaag de dag, dertig jaar na de eerste desaparecidos, nog steeds moeders te schreeuwen om hun verloren zonen op de Plaza del Mayo. De moeder van Manuel is er een van.

Tanya houdt even op met praten. Ik kijk opzij, weg van het vuur. Haar wangen zijn nat van de tranen en haar ogen klein en rood. Ik kruip nog wat dichter tegen haar aan. Dan vertelt ze verder.

Dat het verdriet daarmee nog niet was afgelopen. Niets kon haar meer schelen. In het ziekenhuis werd haar verteld dat ze al bijna drie maanden zwanger was en dat de artsen de kans groot achtten dat het kindje in haar buik te zwaar geleden had onder de verdovende werking van de pillen die ze ingeslikt had, om ongedeerd geboren te worden.

Een kindje.

Van Manuel.

Het mooiste geschenk dat haar lief had kunnen achterlaten had zij weggeslikt. Ze moest een beslissing nemen. Ze deed wat haar het beste leek, zonder te weten dat ze de pijn van haar beslissing haar leven lang zou meedragen. Nog een keer sneed ze alle lijntjes met het verleden door. Tanya heeft daarna nooit meer geprobeerd Manuel eerder op te zoeken dan het leven voor haar zou bepalen. Ze werd wakker met een heleboel slangetjes in haar lijf en een stem in haar hoofd. Het was toen, op een late namiddag op de intensive care, dat ze besloot weer van het leven te gaan houden. Al was het maar voor Manuel, aan wie ze zich verplicht voelde het leven te leiden dat hem ontstolen was.

Zes weken later vertrok ze met een lege buik en een leeg hart naar Santiago de Compostela in Spanje, de eerste reis die Manuel en zij samen zouden maken. Ze legde de reis alleen af, maar ze liep voor twee, totdat ze Maria onderweg ontmoette, die een deel van haar bagage overnam en een reisgezel voor het leven is gebleken. Dagen gingen voorbij. Weken gingen voorbij. Twee volle manen gingen voorbij. Op een dinsdag, ergens tussen vijf en tien over zes kwam de zon achter de bergen tevoorschijn en kleurde het landschap rood. In dat rode landschap zaten de twee vriendinnen samen op een rots. Acht dagen geleden waren ze in Santiago de Compostela aangekomen, het eindpunt van de beproeving. Tanya zou teruggaan naar Argentinië, Maria zou verder door Europa trekken. Een jaar later dronken ze iedere zaterdagochtend koffie op het Plaza Dorrego.

Als ze uitgepraat is kijkt ze recht voor zich uit, het haardvuur in. Dan legt ze haar hoofd weer op mijn schouder en vallen we allebei, in de warmte van het knetterende vuur in Bariloche, in slaap. Dat we vanavond hier in Bariloche in slaap vallen en niet in Buenos Aires was Tanya na onze eerste ontmoeting al duidelijk; ik heb op mijn eenentwintigste voor mijn leven moeten vechten terwijl Tanya er op haar eenentwintigste mee op wilde houden. Daar ligt de omhelzing van onze vriendschap besloten en dat bracht Tanya tot de stap het roer om te gooien. Mijn zoektocht zal niet alleen antwoorden voor mij vinden, maar ook antwoorden voor Tanya op de vragen die ze zich twintig jaar geleden niet heeft willen stellen.

Ik vind de tijd eng. Ze neemt voortdurend een stukje van me mee naar gisteren. Als ik even niet oplet en mijn glas gedachteloos op het witte tafellinnen zet nadat ik mijn laatste slok gedronken heb. Maar ook als ik wel oplet en het glas blijf bijvullen, in een woedeloze poging het moment te rekken.

Maar ik vind de tijd ook steeds vaker oké. Want met ieder moment dat hij neemt, blijft een ruimte over, een ruimte om in te vullen. En op de kruising van onze wegen hebben Tanya en ik elkaar de weg naar die ruimte kunnen wijzen.

*

De avond voor mijn vertrek uit Argentinië loop ik voor de laatste keer door de stad, die met het vallen van de nacht pas echt begint te schitteren. De Avenida de Julio, met 134 meter de breedste straat van de wereld, is een lange galerij van verkeerslichten, lantaarns en dwalende lichtjes, die aan en uit knipperen. De gevels van de appartementen voeren me mee naar Parijs. Ook de obelisk, waar deze lichtgalerij naartoe leidt, en die een trots middelpunt vormt voor het verkeer dat eromheen raast, is verlicht.

Rond deze tijd loopt het leven je van iedere straathoek tegemoet. In de buurt van San Telmo sla ik een hoek om, en loop ik recht tegen een club aan waar een tangoconcert gaande is van acht jonge muzikanten op accordeon, drum, viool en gitaar. Te midden van de muzikanten wordt er gedanst door een mooie vrouw – ik gok veertig – gekleed in bordeauxrode zijde en een man – ik gok zeventig – in een wit pak met wit shirt en witte bretels. Alleen zijn schoenen steken af; het wit daarvan is met zwart leer afgewerkt. De vrouw heeft een rode roos in haar haar gestoken, in de kleur van haar jurk en lippen. Haar haar is strak naar achteren gekamd in een scheiding. De dans is treurig, zeurderig, passioneel, soms wild en doordrenkt van melancholie. In iedere stap zit een geheim verborgen, een emotie of een intimiteit. De dansers bewegen alsof hun leven ervan afhangt. De muziek wordt steeds onregelmatiger, woester, naakter. Het samenspel van muziek en dans gaat op in een ontembare ontroering, die alle zenuwen in de zaal in zijn greep houdt. Het kippenvel staat op mijn blote onderarmen. Dan, plotseling, komen alle strijkinstrumenten samen in een climax en maken met een botte schreeuw een abrupt einde aan de meeslepende dans.

Ik voel nu pas dat de tranen langs mijn hals glijden. Ik ben niet de enige die meegevoerd is op de klagende muziek; het is alsof alle aanwezigen hun adem inslikken in een poging vast te houden aan de laatste klanken die door de zaal dansen en als een hete gloed door onze lijven snijden. Minutenlang staan we daar, als vastgenageld in de diepe stilte die alleen gevoeld kan worden door een groep. Totdat, even plotseling, een van de aanwezigen de zware stilte doorbreekt door, in een monotoon ritme, te applaudisseren. Een tweede haakt in. Een derde. Een vierde, een vijfde, een zesde. Ook ik haak in. Het applaus houdt pas op als de tango weer begint, een aantal lange minuten later.

Er staan nu meerdere tangodansers op het toneel, en ook in de zaal, waar ze al dansend tussen het publiek door bewegen. Een van de dansers ziet me en neemt me mee in zijn strakke bewegingen, langs de hoge klanken van de viool, de nasale klanken van de accordeon en de opzwepende tonen van het samenspel van de verschillende instrumenten. Hij leidt, ik volg. Hij bepaalt, ik gehoorzaam. Hij danst, ik zweef. Daar, in zijn gespannen armen, zweef ik naar een andere plek, waar dag en nacht niet bestaan.

*

Terug op het vliegveld word ik lastiggevallen door de vraag waarom ik eigenlijk in het vliegtuig naar Rio stap en niet in het vliegtuig naar huis. De vraag waarvan ik het waar en hoe een beetje zoek ben geraakt, samen met het waar en hoe van mijn leven, toen zoveel in een dag ophield te bestaan. Het is een vraag die me wel vaker lastig valt als Amsterdam in zicht komt. In een herinnering, een e-mail of op het vliegveld op het vertrekbord. Altijd ongewenst, want nog altijd klopt hij aan zonder een antwoord mee te nemen.

Los van de beroemde ansichtkaarten en de logeerkamer van Dee, een vriendin van Roman, voelt Rio met haar schuddende billen en gevaarlijke gangsters zoveel dichterbij dan thuis, waar iemand anders de regie van mijn leven overgenomen lijkt te hebben, zonder mij er nog deel van te maken. Hier, ver uit de reikwijdte van de vragen die thuis op me wachten, ben ik aan zet, en bepaal ik op welke golven ik mijn surfplank loslaat. Thuis sta ik buitenspel, maar hier, bewegend op een ongeschreven stuk papier, ben ik de aanvoerder van het veld.

Ik sta in de startblokken om de wereld te omhelzen, en ik begin op het stukje aarde waar de zon het hardst schijnt. Als ik één ding van mijn tocht door de Himalaya heb geleerd dan is het dat je niet moet vergeten met de zon ook de palmbomen achterna te reizen. Anders kom je goed bedrogen uit.

En als ik nog een tweede ding van op reis zijn heb geleerd dan is het onderhandelen met taxichauffeurs, het liefst zo lang mogelijk, om een zo goed mogelijke inschatting te kunnen maken van hun gangsterniveau. Daar begint in *Rio by night* meteen het eerste dilemma. De mensen hier met geld verstoppen het graag achter geblindeerde ramen, waardoor de mensen met een beetje geld dat ook gedwongen zijn te doen, zodat de enigen die vrij in het openbaar rondrijden de armoedzaaiers en de – jawel – domme toeristen zijn. Bijna alle auto's die hier van links naar rechts rijden zijn even donker als de nacht, die meestal net over de stad begint te vallen als jij een taxi nodig hebt, zodat de taxi's – als het al geen gangsters zijn – niet van de gangsters te onderscheiden zijn.

Als ik mijn ogen open, schrik ik wakker van een dikke kont met een net iets te klein bikinibroekje ertussen. De bedoeling van een tanga is ergens tussen haar zware bilhelften blijven steken, waardoor er niet veel meer dan een roze veter overblijft. Hier lig ik dan, op het beroemdste strand van de wereld, Copacabana, met een zeer behaarde kokosnoot en een rietje met een blauw parapluutje erop in mijn ene hand en een caipirinha in mijn andere, mijn tenen uit te strekken in het warme, zachte zand van Rio. Per ongeluk raak ik met mijn grote teen de haardos van een vrouw die vlak naast me ligt. Als reactie gooit ze haar hele bos los en lacht me toe. Ik lach terug en graaf met mijn tenen nog wat dieper in het zand. De ansichtkaart is compleet. Ik hoef hem alleen nog maar af te drukken en op te sturen.

Hier op het strand bestaat er geen verschil tussen kapitalist en communist, aristocraat en proletariër, arm en rijk.

De zee en het strand zijn van iedereen en van niemand tegelijk. Het zwemt, zont, drinkt, eet en vrijt allemaal. Misschien dat je nog iets aan de donkere glazen van de zonnebril kunt aflezen, of de grootte van de handdoek, of zelfs aan het stukje strand waar je gekozen hebt te liggen, maar op dat soort kleine details na is iedereen hier als een ongelezen manuscript, zonder titel en zonder omslag.

Vanaf het terras waar ik even later mijn tweede kokosnoot leegslurp, kijk ik recht tegen het gebogen hoofd van de beroemdste – en absoluut meest eenzame – Christus, een paar honderd meter verderop. De stad groeit als onkruid tegen de tropisch groene bergruggen op. De ene slum na de andere kruipt van armoedige ellende omhoog, richting de grote Verlosser die van de hoogste bergtop op Zijn onderdanen neerkijkt. Ik kijk naar het fenomenale standbeeld, de stranden, de palmbomen, de bruingekleurde poppetjes beneden me, maatje 34 of 44, het loopt allemaal even vrolijk en sexy door elkaar heen.

Tussen de toeterende auto's, op weg naar de naam op het visitekaartje dat Roman me voor vertrek heeft toegestoken, trekt de hele stad als een Zuid-Amerikaanse film uit de jaren zestig aan me voorbij. Met als trailer de oude stad vol met prachtige koloniale gebouwen en kerken, als cliffhanger de enorme Christus, half weggestopt in de wolken, en als hoogtepunt Copacabana en Ipanema Beach. Dezelfde boulevard waar Astrud Gilberto op een cd in mijn Amsterdamse huiskamer over zingt, en dezelfde boulevard waar de mooiste jongens van de wereld in roze zwembroekjes naast hun blonde labradors 's ochtends 20 kilometer heen en weer rennen. Met als niet te verwaarlozen voetnoot dat ze jammer genoeg hartstikke gay zijn en niet van vrouwenkontjes houden.

Als ik op de digitale klok in de taxi kijk, zie ik dat het al halfelf in de avond is. Mijn race is slecht begonnen. Vanmorgen bij aankomst is me meteen een uur afgepakt, ik zal hem wel ergens tussen de tango en de salsa in verloren hebben. De rit stopt voor een hoog appartementencomplex in Leblon. Voor de entree, naast de draaideur, staat een piccolo. Hij ziet er zuur uit. Of hij kijkt gewoon zuur. In ieder geval, ik heb geen zin om een praatje met hem te maken en loop in een draf langs hem heen.

Ik bel aan bij Dee, een vriendin van Roman die acht jaar geleden in Rio neergestreken is. Ze is er zo een die zo'n ratjetoe aan nationaliteiten in zich draagt dat ik er niet eens aan durf te beginnen. Veel ingewikkelder dan Duo Penotti. Dee ontwerpt jurken die tot op de grond komen en ieniemienie bikini's. Net als Tanya is ze de veertig voorbij, zonder een trouwring om haar ringvinger en zonder kinderen die haar 's ochtends vroeg aan de haren trekken omdat ze willen ontbijten. En net als Tanya vindt ze het niet vreemd om me na slechts een avond uit te nodigen voor een verjaardagsfeest van een van haar betere vrienden, die zijn vijftigste verjaardag op een eiland vlak buiten Rio viert. Het zal wel bij het wereldburgerschap horen.

Na acht maanden op Zuid-Amerikaanse bodem sluit ik voor de eerste keer mijn ogen in Brazilië. Mijn oogleden voelen, net als de rest van mijn lijf, zwaar en dik. Ik voel nog net hoe ik zachtjes verdwijn in de bedding van het dikke matras. Mijn knieën, heupen, schouders. Helaas voel ik ook nog net hoe de zoete smaak van de wijn plaatsmaakt voor de bittere nasmaak van een kater, maar dat mag ik officieel niet opschrijven. Een kater in Rio is immers smijten met pleonasmen.

Op naar Angra dos Reis dus, het eilandenparadijs van Rio. Nog altijd volg ik het toeval van mijn ontmoetingen, aangezien het masterplan nog steeds ontbreekt. En weer leg ik een paar bikini's en boeken bij elkaar om met een vrouw die ik nauwelijks ken op een leeg strand, op een eiland waar de palmbomen met meer zijn dan de bezoekers, onder dezelfde parasol te gaan zitten om samen naar de horizon te kijken, en de bewegingen van de zon te volgen in de oranje streep die ze door de blauwe lucht trekt.

Als we na een paar uur slingeren door het groene Brazilië in Angra aankomen, ligt er een motorboot voor ons klaar. Met onze spullen in de boot vertrekken we naar Ilha Grande, het grootste eiland van alle 365 eilanden. Na dertig minuten varen komen we aan bij een paar houten bungalows, in dezelfde kleur gebouwd als de schors van de begroeiing. Via de pier, die tussen grote rotsen gebouwd is, klimmen we net voordat het donker wordt aan land.

We zijn niet de eerste gasten. Er zijn een heleboel paadjes gevuld met flakkerende kaarsjes en exotische bloemen in schalen gevuld met water. Er zijn grote palmbladeren waarop een lokaal prutje van vis wordt geserveerd. Het lijkt een beetje op paella. Er zijn halfvolle wijnglazen met rode en roze lipstickafdrukken erop. Er is een hele berg sandaaltjes en er zijn een heleboel dansende voeten. In de hoek zingt een Braziliaanse jongen terwijl hij zit te spelen op een gitaar. Naast hem slaat een andere jongen met lange dreadlocks zachtjes op een trommel, terwijl de kleine bewoners van de nacht uit de jungle tevoorschijn komen en de microfoon van een big band voorzien. Het is zo warm dat we de ramen als banken gebruiken, de maan schijnt er zachtjes doorheen. Het is zo donker dat ik niets van de kust of de andere eilanden kan zien, op een lichtje aan de overkant na.

De jarige job blijkt geen man maar een vrouw. Dat had ik even verkeerd begrepen toen Dee me over de gelegenheid vertelde. Ik ben op slag gefascineerd als we elkaar de hand schudden. Ze lijkt me een vrouw met een overvloed aan verhalen, als een boek dat altijd op je nachtkastje blijft liggen omdat je wilt dat er geen einde aan komt. Ergens tussen de warme klanken van de gitaar en de zware stem van haar echtgenoot in, komt ze naast me zitten. Ze pakt mijn hand en draait hem open op tafel. Nog voordat ik bedenk dat ik waarzeggers altijd bewust vermijd, volgt ze met haar wijsvinger de lijnen in mijn palm.

'Sophie, je hebt nog een heel lang en groots leven voor je.' Terwijl ze haar totaal onverwachtse woorden prompt op tafel gooit, lacht Dee me vanachter op de steiger toe. Ze balanceert zo scherp op het randje dat mijn ogen haar bewegingen in de gaten blijven houden, angstig dat ze achterover valt, het donkere water in.

De vrouw naast me raakt me, zo hard als een pijl haar doelwit raakt. Een dikke druppel vocht hoopt zich met zo veel kracht in mijn linkerooghoek op en glijdt vervolgens met zo veel gewicht naar beneden, dat hij kapotslaat op mijn hand, die nog steeds opengevouwen op tafel ligt, en daar een kleine plas achterlaat. Een volgende traan welt op, nu in mijn rechterooghoek. Ik knipper hem snel weg.

Het zijn de tranen van een verloren zin, die ergens diep vanbinnen, ver verscholen achter een kudde gedachten, helemaal alleen, rondzwemt. Het gros van de dagen blijft hij daar verborgen, tegen de rug van de andere zinnen opboksend, zonder een doorgang te vinden. Maar heel soms ontsnapt hij en vindt hij de weg naar mijn hypofyse. Zoals nu. Hij zwemt zo dichtbij dat hij al mijn gedachten overneemt en me voor een lang moment gevangenneemt in de ik-persoon die ik ben. Het is de zin die de dood heeft achtergelaten, de eerste dag toen we elkaar ontmoetten.

Na een overvloed aan ziekenhuisstatistieken, -diagnoses en -rapporten, klinken de woorden van deze vrouw me als Franse fluistermuziek in de oren. Zacht, verleidelijk en onuitstaanbaar aantrekkelijk. Een glimlach vormt zich om mijn lippen, en daarin zit meer zekerheid verborgen dan in welke uitslag dan ook. Door deze merkwaardige Libanese dame heb ik zojuist het geschil gewonnen van mijn onzekerheid voor de toekomst.

Dan pakt ze mijn andere hand, de linker, en vertelt ze me – als toefje op de taart zeg maar – dat ik onderweg wel veel problemen zal krijgen. En bedankt. Ik kan niet anders dan ook hier haar woorden te omhelzen, misschien omdat ze de werkelijkheid al van zo veel kanten omsluiten. Ik kijk haar enkele seconden onbeschaamd in de ogen. Werkelijk, een fascinerend mens. Aantrekkelijk en eng tegelijkertijd, omdat ze met haar woorden zelfs de meest onaangeraakte plekjes op mijn lijf weet te ontmaskeren.

Voordat ik bij Dee in bed kruip, klim ik in de hangmat die over het terrasje hangt. Een heel uur lig ik in het maanlicht te piekeren hoe ik het leven weer op mijn eigen klok kan afstemmen. Hoe ik iedere minuut bij mezelf kan houden, zonder het weg te geven aan een toekomst die me kort geleden nog zo bedrogen heeft. En hoe ik de tijd, voordat hij weer met nieuwe klokslagen boven mijn hoofd galmt, te slim af kan zijn. Misschien zelfs een hak kan zetten.

Ik wil Siddhartha volgen, op zijn speurtocht door het leven, alleen dan wel in een wat moderner jasje. Anno 2007 hongeren mensen zichzelf niet meer uit tussen de samana's om dagenlang in trance te zitten. Niet waar ik vandaan kom, tenminste. Wel wil ik me net als Siddhartha laten leiden door de toevallige ontmoetingen die uiteindelijk zoveel meer dan een toevalligheid blijken te zijn door het gevoel dat ze bij me achterlaten, om zo uiteindelijk bij de bestemming die ik voor ogen heb aan te komen. Een bestemming waarvan de westerbreedte nog niet op de kaart is aan te wijzen valt toch niet zonder omwegen te bereiken. Lastige voetnoot is wel dat ook de noorderbreedte nog zoek is, maar dat maakt de drang om te zoeken er niet minder om. En dat leek Siddhartha ook niet op te houden in zijn tocht door het Zwarte Woud.

Kilometers blijven maken dus. Want met elke kilometer ben ik weer een ervaring rijker en ik begin steeds meer te denken dat ik mijn bestemming beter in momenten kan zoeken in plaats van in de tijd. En vooral niet in de toekomst. De splitsing wijst dan wel twee richtingen op, maar zonder een Oscar voor mijn acteerprestaties waarmee ik mezelf voorhoud dat alles nog bij het oude is, kan ik die oude weg niet meer inslaan. Niet nadat ik ben meegenomen naar een andere wereld, waarin langetermijnplannen, wiebelstoelen voor op de veranda en kleinkinderen niet bestaan.

En terwijl ik, diep weggedoken in de hangmat, de donkere verte in kijk, voorbij een door de nacht verstopt landschap van eilanden en zee, ontvlamt er, voor de tweede keer sinds ik uit Amsterdam vertrokken ben, een vlammetje in mijn binnenste, zo heet en zo hard dat ik het door mijn hele lijf voel branden en het aan de oppervlakte voel tintelen. Het voelt zo goed dat ik alleen maar kan concluderen dat ik met mijn totaal onzinnige vlucht van acht maanden geleden per ongeluk een heel verstandige beslissing heb genomen. *Heaven must be missing an angel.*

'Dee?'

'Ja?'

'Slaap je al?'

'Nu niet meer.'

'Ik wil naar Lhasa.'

'Lhasa? In de zin van Tibet, Lhasa?' Dee komt een stukje overeind en leunt op haar elleboog. Ze kijkt totaal verontwaardigd. Misschien ook niet zo gek. Het meisje dat naast haar ligt kent ze amper drie dagen en praat over naar Tibet vliegen als ze net van Buenos Aires in Rio is aangekomen. Als ik er zo over nadenk, is het meisje misschien wel flink in de war.

'Ja. Tibet. Het is er zo magisch.'

'Maar je bent nog nauwelijks in Brazilië,' stamelt ze.

'Misschien heb ik hier alles al gevonden wat ik zocht.' Dee kijkt me wazig aan. En terecht. De logica van gevoelens is maar zelden in woorden te vatten. 'Alles al gevonden? Je bent hier net drie dagen. En is dat niet hartstikke duur? Al die tickets?'

Ik draai me naar haar toe. 'Toen ik naar Buenos Aires kwam heb ik een ticket gekocht waarmee ik meerdere stops mag maken. Het scheelde maar een paar honderd euro. Ik had al zo'n voorgevoel dat Argentinië slechts het begin zou zijn, denk ik.'

'Wat moet je in Tibet?' vraagt ze na een korte stilte.

'Waarschijnlijk precies hetzelfde wat ik hier moet.'

'En wat is dat?'

'Om eerlijk te zijn heb ik geen flauw idee.'

Tibet. Op papier ziet het er totaal onzinnig uit. En in de inbox van mijn telefoon nog onzinniger, wanneer ik een sms'je naar Tanya stuur. Tibet. Helemaal vanuit Rio. Maar waarom eigenlijk ook niet? Waarom zou ik wachten op een weloverwogen gedachte? En trouwens, verstandige beslissingen worden onderweg toch meestal onderuit gehaald. Ja. Waarom zou ik niet naar Tibet gaan? In een beetje speurtocht hoort toch een Boeddha op een wit besneeuwde berg? En ik heb toch al voor de kou van Patagonië ingepakt. Ja, waarom zou ik wachten tot de tijd weer met een verrot paasei voor de deur staat, met een strik eromheen?

Ik doe het.

Ik ga naar Tibet.

Met de kilometers die ik maak, pas ik mezelf niet alleen aan mijn nieuwe situatie aan, maar verdamp ik ook de langste tranen. De leegte blijft me onaangekondigd bezoeken, maar ik voel me bevrijd van het kwetsbare meisje in me dat ik met het wegrijden van Amsterdam heb ingeruild voor de krachtige vrouw die op een Tibetaanse bergtop de meest eigenwijze uit kleurrijke, dansende vlaggen weet aan te wijzen.

*

Als ik instap naar het oosten is er wat onduidelijkheid over opbergruimte en zitplaatsen. Daarover wordt deels in het Portugees en deels in het Chinees gecommuniceerd, waardoor de onduidelijkheid al snel in onenigheid omslaat. Een klein Chinees vrouwtje staat me in deze voor mij woordeloze discussie bij en propt me ergens diep weg tussen rij 37 en 43.

Vliegen. Als eerste denk ik altijd nog aan het blauwe erfgoed van mijn moeder: haar KLM-stewardessentijd. Als stewardess heeft ze iets heel leuks opgepikt tijdens het vliegen. En dan heb ik het niet over Robert Redford, die ze van drankjes en maaltijden heeft voorzien toen vliegen nog een chique aangelegenheid was. Ze zei dat ze tijdens het vliegen eens had bedacht dat als de wereld zou vergaan, door een hemelsbrede tsunami of een uit zijn baan geschoten planeet, de wereldbevolking weer opnieuw zou beginnen met de mensen die nog boven in de lucht hangen. Dat is eigenlijk het eerste waar ik iets mee kan als het over in de lucht hangen gaat. Niet dat ik opzienbarende vliegangst heb, maar ik heb wel altijd last van opzienbarende opluchting als het ding weer op de grond staat. Sinds ik met die gedachte het vliegtuig in stap, vind ik vliegen zelfs een beetje leuk. Vooral bij het landen.

In Tibet, net buiten Lhasa, staat een berg die Gambe Utse genoemd wordt. Waarom weet ik niet. De top is zo volgehangen met Tibetaanse gebedsvlaggen en zo volgebouwd met Tibetaanse gedenkmonumenten, stoepa's, dat je bijna vergeet om je heen te kijken om vervolgens te ontdekken dat je op 5400 meter hoogte staat. Er wordt gezegd dat de huidige Dalai Lama deze berg gekruist heeft op zijn vlucht naar Dharamsala en Mc Leod Ganj, in het noorden van India, toen hij zijn vaderland moest verlaten. En er wordt geloofd dat deze top bewoond wordt door magische krachten. En ik heb wel behoefte aan een beetje magie, gezien ik nog altijd geen wegwijzer met namen en kilometers erop ben tegengekomen.

In dat perspectief is het dus helemaal niet zo vreemd dat ik de halve wereld heb overgevlogen en tot 5400 meter ben geklommen, om boven op deze berg in kleermakerszit in de verte te kijken. En ik schreef al, een masterplan heb ik niet. Het leek me gewoon het beste om te doen, in mijn race tegen de klok, mijn wil te volgen. En ik heb wel behoefte aan een beetje mystiek die me helpt *the magic spell* te vinden om gisteren los te laten, vandaag naar mijn hand te zetten en morgen terug te schrijven. Of om gewoon domweg de tijd los te laten.

Het lijkt me dan ook uiterst geschikt om vanaf deze berg, in het heilige Tibet, het thuis van de boeddhisten, de grote vraag het leven in te sturen. Sommige clichés zijn niet te vermijden, er komt een moment dat je in het cliché, dat geen andere woorden kent dan waarin het gegoten is, gevangen raakt. Het cliché van de bergtop, de kleermakerszit en de vraag:

Wie. Ben. Ik?

Drie kleine woordjes, die achter elke plek waar ik ga en onder elke pagina die ik lees geschreven staan. Ze achtervolgen me. Maar zijn ze nou echt zo belangrijk? Moet ik daar nou de hele wereld voor over?

De hele wereld is op zoek naar het paradijs. Met z'n allen. Maar dan alleen. Dat doen we al generaties lang, eeuwenlang. Daar kun je de bijbel, de koran en het Tibetaanse dodenboek op nalezen. De hele wereld is ook op zoek naar zichzelf. Naar het waarom van ons bestaan. Er schijnt een verband te zijn.

Tegenwoordig ben je niet zomaar meer bakker. Nee, je bent een bakker met een passie. Een passie voor brood. Of neem nou een advocaat. Die heeft een passie voor rechtvaardigheid. Een bioloog. Die wordt wild van kleine kruipende in de weg lopende beestjes, die de bulldozerbouwer weer passievol platrijdt om de architect gepassioneerd over het terrein te laten zwaaien.

Dat je zonder een passie niet alleen passieloos maar ook waardeloos bent in de maatschappij van nu, is best verontrustend. Zonder passie tel je niet mee, waardoor je onder dwang van de gepassioneerden, die je vanuit glanzende magazines toelachen, op zoek gaat. Naar het paradijs. Of misschien is het gewoon een passie voor zoeken. Dat kan natuurlijk ook nog.

Het nieuwe spel begint niet veel beter dan het vorige. Terug op het schaakbord van de goden boven mij sta ik er niet bijster goed voor. Mijn paard achtergelaten op de pampa van Argentinië en mijn kroon verloren in een salsaclub in Brazilië, ga ik kriskras als een damsteen over het schaakbord, de wonderlijke maar ook monsterlijke waarheid van het leven tegemoet. Terwijl zij daarboven lachend toekijken hoe lang ik het volhoud voordat ik weer schaakmat wordt gezet.

Plotseling begin ik te schelden op de mensen die zo lekker makkelijk vanaf hun sterfbed uitkramen dat je je hart moet volgen, zonder dat ze je daarvoor een aanwijzing toestoppen. Ik bedoel, hoe doet een mens dat, zijn hart volgen? En wat brengt het een mens? Wat brengt het een mens om met een ijskoude neus in het niets te gaan zitten kijken, tussen een stapel heilige stenen met duizenden vlaggen, die speels op de vlagen van de wind meedansen? Dat de bergen niet vervelen, dat is waar. Maar er komt toch een moment dat ik honger krijg, moe word, of simpelweg de mensen daar beneden mis. Ja, er komt een moment dat mijn hart zachtjes tegen mijn borstkas aan begint te bonken, zeurend om aandacht. *Whereto next?*

In Tibet hebben ze zo hun manier van afscheid nemen en begraafplaatsen. *Sky burials* heten die heilige plekken hier. Want 'the burial' gebeurt *in the sky*. Het dode lichaam, gedrapeerd in doeken, wordt naar een bergtop gebracht en daar in stukken gehakt en aan de gieren gevoerd. Ja echt, zo doen de vredelievende boeddhisten dat. Maar hoe gruwelijk het ook klinkt, het is eigenlijk heel puur en er zit zelfs een vredige gedachte achter. Het lichaam wordt namelijk in alle basis teruggegeven aan de aarde, in dit geval aan de hongerige aasgieren die op deze hoogtes rondzweven.

Ik ben er naar een toe geklommen, om te kijken hoe dat er nou uitziet, zo'n sky burial. Ik stuit op een schouderblad dat waarschijnlijk ooit van een kind of van een tengere vrouw is geweest. Ook stuit ik op een gestreepte trui en een mes, verroest van het bloed en voor de helft in een wit doek gewikkeld. Overal liggen resten van bierflesjes en sterkere middelen om in het ritueel te komen. Twee gieren vliegen om het stukje berg dat met zijn hoogte door de wolken heen snijdt. De talloze Tibetaanse vlaggen vliegen er in de wind achteraan. Alles klopt hier, zo dicht bij de dood. De leegte, de hoogte, het niets.

Herinneringen maken het gebeurde altijd mooier dan het gebeurde zelf, gewoonweg omdat ze het laatste stukje houvast zijn van iets wat er niet meer is. Als een passagiersschip doemen ze plotseling op in de mist van mijn gedachten, die even plots als het schip voorbij kwam varen vervagen tot iets vaags in het donker. Vergeten en onthouden. Selectie: het is een diepgeworteld overlevingsmechanisme dat ik met al mijn fantasie omarm.

Soms, als ik mijn ogen sluit, lukt het me terug te reizen naar een moment waarvan het einde nog niet bepaald was. Naar een ontmoeting in een café in de Pijp, naar een hand die voor de eerste keer geschud werd, of zelfs naar een onbezorgdheid die ik ergens gaandeweg ben kwijtgeraakt. Dan doe ik net alsof alles nog bij het oude is. Dat kost me niet heel veel moeite, want het leven waar ik in ben gestapt staat zo los van het leven waar ik vandaan kom dat alles wat ik zie en aanraak soms moeilijk te onderscheiden is van wat ik droom.

In die droom loopt Chantal nog vrolijk rond te stappen. Ik gebruik het klokje om mijn nek om me voor te stellen wat ze op dat moment aan het doen zou zijn. In de ochtend zie ik haar voor me in haar keuken bij het koffieapparaat, in een felgekleurd en dik gebreid vest dat tot haar enkels reikt. Dat vest droeg ze graag in huis. Ik stel me voor hoe ze het kannetje melk uit de magnetron haalt en hoe we aan haar glazen tafel plaatsnemen, de woorden heen en weer smijtend over diezelfde tafel – bij ons pasten er altijd opzienbarend veel woorden in een minuut.

Ook stel ik me voor hoe we later die dag over de Albert Cuyp wandelen richting de Pilsvogel en hoe zij daar een sigaretje opsteekt en ik aan die lekkere vette kippenpootjes kluif. Ik zie haar zitten in haar rood-wit geruite bloesje. Simpel en verzorgd, casual maar ontzettend sexy, precies zoals ze is. Ze lacht.

Ik lach.

Terug in de bewoonde wereld, dat betekent hier in Lhasa nog steeds boven de 3000 meter hoogte, hoor ik pas hoe stil het daarboven is. En zie ik pas hoe hoog het daarboven is. Ik krijg er trek van. Ik loop de hoofdstraat van Lhasa in en koop bij een van de vele Tibetaanse handelaartjes op de stoep versgebakken chips, met rode chilipoeder erop. Zo loop ik een paar uur door de heiligste stad van de wereld, de lekkerste chips van de wereld telkens aanvullend als ik de laatste in mijn mond heb gestoken. Ik passeer een heleboel straathandelaars, monniken, Chinese militairen en het beroemde Jokhangklooster, net als het Potala – het winterpaleis van de Dalai Lama – een heilig hart van Tibet. Daarna passeer ik een Franse bistro – waarom ook niet? – en lees de menukaart die op het raam is geplakt. Chocolademousse. Ik loop naar binnen om vlak daarna met pijn in mijn buik op bed te vallen.

Op het vliegveld van Lhasa staren de vraagtekens me met honderden aan. Maleisië prikkelt me wel. Maar ik weet van Alain de Botton dat er niets zo confronterend is als in je eentje in je paradijs aan te komen. Die optie slaan we dus over. Peking, Sjanghai. Nee, de gastvrijheid van de Chinezen vraagt niet om een herhaling. Terug naar India? Nepal? Nog verder naar het oosten? Bali?

Dan verdraaien de namen op het scherm en komt er een KLM-vlucht tevoorschijn met bestemming Amsterdam. Waarom stap ik niet gewoon in? Hoe ver moet ik nog vliegen om mijn thuis terug te vinden?

'Zus?'

'Ja lief, hoe is het in Argentinië?'

'Erg Tibetaans.'

'Tibetaans?'

'Ik sta op het vliegveld van Lhasa.'

'Lhasa?! Wat doe je daar?'

'Wegwijzers zoeken.'

'Hoe lang zit je daar al? Waarom heb je niets gezegd?'

'Omdat ik me heb aangepast aan de monniken om me heen en die e-mailen niet. En ze hebben ook geen mobieltjes.'

'Wat moet je daar nou?'

'Ik had het gevoel dat ik ernaartoe moest.'

'En?'

‘Dat gevoel is nu weer uitgewerkt. Ik ben heel hoog geklommen en sta nu weer beneden.’

Zus begint te lachen. ‘Lief, kom lekker hiernaartoe.’

‘Ik ben op 5400 meter hoogte geweest. Met een ongelooflijk mooi uitzicht. 360 graden rond. Heel veel bergen en heel weinig mensen. Ik heb twee armbanden gekocht, van jakbot. Eentje voor jou. En ik heb heerlijke chips gegeten. Ik heb nog wat in mijn tas zitten, die kan ik voor je meenemen. Misschien dat ik toch nog even moet blijven.’

‘Om chips te eten?’ Terwijl Zus vertelt over haar misosoep van gisteravond, grote roofvogels die voor het raam van haar kantoor zitten en de te strakke rokken van haar nieuwe bazin, zie ik een nieuwe vlucht op het bord verschijnen. Hongkong. Top. En ik ben toch al om de hoek.

‘Er vertrekt een vlucht over drie uur. Ik ga kijken of ik daar nog op kan.’

‘Ik haal je op van het vliegveld. Welke vlucht is het?’

De rest van de wachttijd dood ik met berichtjes naar Tanya en Milan. Tanya reageert niet, dat zal wel iets met de andere kant van de wereld te maken hebben. De onlineverbinding van Milan staat gelukkig wel te gloeien.

‘Ik heb net een paar uur op 5400 meter hoogte in de verte gekeken.’

‘Want je bent nu in...?’

‘Tibet.’

‘Natuurlijk. Tibet. En, wat zag je?’ Typisch Milan. Altijd raak.

‘Niets natuurlijk. Nou ja, veel bergen, dat wel. En zo mooi dat ik de kou een paar uur heb volgehouden. Nou ja, misschien zat ik ook ergens op te wachten.’

'Moeilijk zoeken lijkt me zo, tussen al die toppen,' antwoordt Milan.

Raak.

'Ennuh, waar zat je precies op te wachten?'

'Ik had gehoopt op een aanwijzing van het een of ander.'

'Boven op een berg?' Geweldig, die Milan.

'Ja. Boven op een berg.'

'En?'

'Ik denk dat ik een plan heb.' Ik zeg het bijna fluisterend, alsof het een kostbaar geheim is, en ik een heel belangrijke Mossad-spion ben, die het moet beschermen.

'O ja?'

'Ik denk dat je het wel weet.'

'Chantal?' vraagt Milan zachtjes in de hoorn.

Raak.

*

Hongkong komt me van alle kanten tegemoet. Ieder stukje gezichtsveld is opgevuld. Boven me rijden er auto's op snelwegen waarvan ik dacht dat ze alleen in de *Donald Duck* bestonden. Onder me wiebelen de luchtroosters van het stoom dat de voorbijsjezende metro's achterlaten. Naast me word ik toegelachen door bewegende billboards of toegejuicht door pratende lantaarnpalen, om nog maar te zwijgen over het aantal mensen per vierkante meter dat om me heen beweegt. Hongkong is hip. Dat weet iedereen die wel eens na twaalven in het café naar de verkoopverhalen van een wat overmoedige reclameboy heeft geluisterd.

Zus is twee jaar geleden naar dit snelle mekka vertrokken, haar lief en haar ambitie achterna. Gaandeweg heeft ze haar stoere boots voor pumps ingeruild en haar oude spijkerbroeken voor kobaltblauwe pantalons en strak gesneden secretaresserokken met zijden bloesjes erin gestoken. Ik hou daar wel van, van mooie vrouwen die het tot een beroep maken om hun kwaliteiten en verfijnde talenten uit te dragen. Net zoals ik van genieën hou, die de taak op zich nemen om hun haar wat explosief te dragen, hun broeken op hoogwater af te knippen en hun leren aktetassen zo te dragen dat al hun verse berekeningen om van een platte een ronde wereld te maken eruit waaien.

Op een paar verkeerstechnische en sociaaltechnische veranderingen na is het leven voor een headhunter in Hongkong niet veel anders dan in Amsterdam. Zo fietst ze niet naar haar werk, maar rolt ze ernaartoe, op de langste outdoorroltrap die ik ooit gezien heb. Ze glimlacht de hele dag, niet alleen naar de mensen die ze aardig vindt, maar naar alle mensen die haar zakelijke of persoonlijke pad kruisen, want dat is in Hongkong toch hetzelfde.

In Hongkong lopen de mensen heel anders dan in Rio. In Rio flaneren de mensen. In Hongkong rennen ze. Zus neemt me vanavond mee naar het nieuwe restaurant *in town*, waar het eten vandaag nog al dente is maar morgen al *overcooked*. Voordeel daarvan is wel dat je meteen op het hoogtepunt van de hipheid aankomt, waar de meeste mensen die vanavond in deze ruimte staan hun agenda vol van hebben, zal ik maar zeggen. Ook nog een mogelijkheid om mijn agenda vol te krijgen. Om er überhaupt eentje aan te schaffen.

We schuiven aan een lange tafel aan. In de hoek zit een Indiase vrouw, naast haar een man die er Australisch uitziet. Daarnaast twee Fransmannen vergezeld door Miss Azië van een paar jaar geleden. In dit restaurant dus geen zogenaamde Europese avonturiers die in het Hollands café samen met hun bitterballen een misplaatst machisme naar binnen stouwen omdat ze de Randstad hebben achtergelaten voor het financiële Azië. Hier een hele hoop mooi geklede vrouwen en mannen. Mini-jurkjes met hoge pumps eronder. Hippe spijkerbroeken en heel veel loafers – persoonlijk hou ik meer van All Stars. Wildgeprinte kaftans. Avondtasjes zo groot als weekendtassen.

Dat ik van verzorgde vrouwen met lange benen hou betekent niet dat ik hier veel vriendinnen maak. Integendeel. De meeste vrouwen beschouwen elkaar als concurrent, helemaal als je nog niet over botox hoeft na te denken. Ze kijken elkaar wantrouwig aan, terwijl de mannen daarentegen hun ogen uit hun hoofd kijken. Dat Miss Azië daar geen uitzondering op is, moet ik zelf midden op het strijdveld ondervinden. Ze bestudeert ieder stukje van mijn lijf, huid en haar zo nauwkeurig en schaamteloos dat ik er ongemakkelijk van over mijn stoel ga schuiven. Ik begin me af te vragen of ik mijn haar niet nog even had moeten föhnen, of mijn wenkbrauwen wel netjes bijgewerkt zijn en of de *concealer* die ik onder mijn ogen smeer wel genoeg dekt. O, en ik had mijn nagels ook nog wel even opnieuw mogen lakken, zie ik nu.

Ze doorbreekt de opgebouwde spanning, die inmiddels ergens tussen haar deel en mijn deel van de tafel in hangt, met een relaas over Catherine Zeta-Jones die haar mooier zou vinden dan zichzelf. Erger nog: die jaloers zou zijn op haar lichaam. Mijn ogen draaien al meelijwekkend de kant van Zus op, die duidelijk twijfelt om een tafel verder aan te schuiven, als Miss Azië de volle aandacht van het gezelschap op mij richt.

'*Serious, you look so young. Are you sure you're not just fourteen?*'

Dat gezegd hebbende, verschijnt er een glimlach op haar gezicht. Het is de glimlach van een overwinnaar, nadat hij zijn prooi heeft verslagen.

Ik kan best leuk uit de hoek komen, maar helaas nooit als het echt nodig is. Weggeveegd door haar scherpe tong, zit ik totaal verslagen de laatste paar seconden weg te denken. Ze presteert het om deze vraag nog drie keer te stellen en bij iedere herhaling wordt ze giftiger. Net voordat ze het voor de vierde keer wil vragen, en ze alles geeft om van haar laatste slag een succes te maken, komt de verlossing vanachter mijn geheugen naar voren gekropen. Het was de vaste grap van Timo, als mensen raar opkeken van ons leeftijdsverschil. Ik antwoord dat ik gewoon een heel goede dagcrème gebruik, maar dat ik eigenlijk vijfendertig ben. Ik plak er nog achteraan dat zij het ook eens moet proberen. Dit voert haar haat nog meer op. Die schreeuwt over de tafel mijn kant op. Ze heeft haar pijl geschoten en ik ben het doelwit van de avond. Het doelwit van een titel die al te oud is om nog op te teren.

Als ik de eerste ochtend de gordijnen opentrek, weet ik zeker dat het vandaag een blijf-in-beddag is. Dat komt goed uit want het is toch nog geen tijd om op te staan. Ik heb weer niet goed opgelet onderweg hiernaartoe, en ben weer bestolen, van een hele nacht om precies te zijn.

Vandaag is een dag voor mezelf. Ik kan hem namelijk goed gebruiken. Ik verhuis mijn dekbed naar de bank en sla mijn laptop open, uit gewoonte en ook een beetje voor de gezelligheid denk ik. Ik heb het huis voor me alleen; Zus is al op pad. Net als haar vriend. Die nog steeds het leukste vriendje van de wereld is. Eerst wordt er gejogd, dan wordt er voorbereid en dan wordt er gewerkt. Zo gaat dat in Hongkong. Nutsmaximalisatie.

'Welcome Sophie, you have, again, zero messages'

Mijn laptop spreekt me tegenwoordig toe sinds ik weer alleen wakker word. Net als bij TomTom heb ik gekozen voor de rauwe stem van Tom, maar ik krijg daar vandaag mijn eerste bedenkingen bij. Vooral als Tom na *have* en voor *zero* extra lang blijft hangen, waardoor de boodschap nog wat benadrukt wordt. Ik zet hem gauw over op Jane.

Ongedurig reis ik met Google een paar maanden terug in de tijd. '*Timo Thijssen.*' Honderdachttien hits. Veelal oud nieuws maar iedere maand ook wat nieuw nieuws. Ik noem maar wat: IJsland. Istanbul. Exposities. Er staan ook foto's bij. Bah. Hij lacht. Natuurlijk lacht hij, wie niet, in een *hot spring* in fucking IJsland? Wat doet hij als architect in IJsland? Gletsjers bouwen? Bah, het steekt me dat ik zijn leven slechts nog in sporen kan volgen. Wat is hij ver weg. Om mijn zwaar dalende humeur wat op te vrolijken begin ik met het googelen van mijn laatste vangst. Misschien dat ik daar wat van opbeur.

'Pancho Ducho'

Bingo. 48.400 hits. Niet alleen een leuke vangst maar ook een grote vangst, zie ik nu. Te veel hits om languit te schrijven en 48.282 meer dan Timo, die ik wil vergeten. Met dit nieuwe perspectief verandert die laatste opgave van een eindscriptie in een lullig columnpje. De rest van de dag scroll ik zo langzaam als maar kan van 1 tot 48.400.

Als ik bij 48.400 ben, trek ik de dekens weer op. En weer van me af. En weer op. En weer van me af. Ik kijk op de klok. Vier uur. Zus is nog op haar werk. Op pad dan maar.

Ik begin in de supermarkt. Die zijn in Hongkong namelijk een stuk leuker dan de Albert Heijn of de Dirk. Samen met de designwinkels en de mooie restaurants zijn ook de supermarkten en de bioscopen in de *shopping malls* te vinden. Overal kun je proeven, zelfs een beetje met de chefs meekoken als je geluk hebt, en ook kun je er gratis koffie-drinken, aan nog een heel leuke bar ook. Alle groente- en fruitsoorten zijn van de exotische soort en alle poeders en bouillonblokjes zijn in roze en gouden designomhulsels ingepakt, zodat je eigenlijk altijd zin hebt om boodschappen te doen of te koken. Daarnaast ontdek ik iedere keer dat ik hier naar de supermarkt ga wel weer iets nieuws. Vandaag zijn dat gedroogde visjes, heel klein, met ook heel kleine, glimmende oogjes. Voor in de misosoep. Ook de weg hiernaartoe is een feest. De roltrap is een ideale plek om de krant te lezen, in je meeneemkoffie te roeren of om gewoon een beetje te lummelen.

Als de eerste schemer over de dag begint te vallen, ga ik met honderden gedroogde visjes in mijn tas op zoek naar mijn eigen Bill Murray. Er schijnt een wereld van verschil te zijn tussen Hongkong en Tokio maar ik heb die wereld nog niet ontdekt. In de lobby van het hotel, waar Zus me wel eens mee naartoe heeft genomen voor het uitzicht, verwijst de piccolo me naar de lift, die me een aantal verdiepingen omhoog brengt, richting bar. Aan die bar neem ik plaats met de grote kans mijn avond betaald te krijgen door een bitterbalvretende Randstadavonturier. Er branden fakkels, het licht is warm, gedempt en oranjerood van kleur. De mensen komen met jassen, tassen en paraplu's binnenstromen. Iedereen is met iedereen bezig. De mensen praten, lachen, bewegen, verleiden, doen. De ruimte is niet vol maar gevuld. Er bestaat een prettige balans tussen overzicht en mysterie: net als je denkt alle hoofden geteld te hebben, word je verrast door een nieuwe aanblik.

En wat voor een. In deze grijze massa van donkere, slanke pakken en zwarte secretaresserokjes, schittert het rood van haar jurk als een eenzame ster aan de hemel.

En dat alleen al in de entree van de bar. Geruisloos, zonder iemand aan te raken of iemand te willen storen in zijn gesprek, beweegt ze als een slang door de menigte, op weg naar een lege bank. Maar iedereen merkt haar op, iedereen ademt een stukje van haar frisse verschijning in. Gesprekken vallen stil, noten achter de piano verdwijnen in de pedaal, blikken wijzen haar kant op.

Ze gaat in het midden van de bank zitten, en laat haar frêle lijf door de zachte warmte van de hoge kussens opslokken. Eventjes blijft ze onbeweeglijk zitten en sluit ze haar ogen, alsof ze met haar gedachten heel ergens anders is. Daarna slaat ze haar lange benen over elkaar, waardoor een van haar hoge hakken in de lucht blijft hangen. Ze steekt een sigaret op, die ze rookt uit een zwarte slanke sigarettenhouder, alsof ze zo van een oud filmdoek in zwart en wit is weggelopen. Maar dan in rood. Met één hijs maakt ze van de bar haar speelveld. Ze houdt haar sigaret hoog in de lucht, terwijl ze haar rokende arm ondersteunt met haar andere, waardoor de rook een onbekende kant op waait, en haar decolleté aangespannen wordt.

Het geroezemoes trekt op de tweede hijs van haar sigaret weer even plotseling aan als dat hij verdwenen was. De rookwolk die ze voorzichtig in de leegte om haar heen uitblaast krult sierlijk omhoog om zachtjes te verdwijnen in de ruimte. De piano speelt verder, maar de sfeer is niet meer dezelfde. De sfeer wordt met iedere beweging van de mysterieuze vrouw in het rood geroerd, terwijl dit haar volledig koud lijkt te laten. Pas op het moment dat de band 'The Lady in Red' begint te spelen, verschijnt er een flauw glimlachje om haar lippen, dat je niet eens was opgevallen als je je op geen enkele manier met haar verbonden had gevoeld.

Ze doet me denken aan de opperheks uit een van de sprookjesboeken van Roald Dahl. Niet omdat ze krom en lelijk is – juist alles aan haar is verfijnd – maar omdat ze over dezelfde magische kracht bezit om een hele ruimte stil te krijgen zonder daarvoor haar mond open te trekken.

De Masterminks heeft een onbeschrijflijke uitwerking op me. Vanaf haar binnenkomst heb ik iedere stap die ze gezet heeft, iedere kromming die ze gemaakt heeft om zo zacht en onverstoorbaar mogelijk naar binnen te sluipen, iedere samentrekking van de spieren in haar gezicht als ze haar rode lippen aan haar sigarettenhouder zet, gevolgd. Ze maakt iets in me wakker. Een heel nieuwsgierig lekker iets, dat in mijn hals blijft branden en van daaruit zachtjes naar beneden kruipt.

Ik vraag me af of ze een prostituee is. Zo'n heel chique die in de eerste plaats betaald wordt om de eenzaamheid van haar klanten weg te knuffelen, en niet zozeer om ze van hun geilheid te bevrijden. Maar tegelijkertijd vraag ik me ook af of ik niet te veel romans heb gelezen als ik denk dat zelfs de lakens van een hoer romantisch kunnen zijn.

Dan staat ze op en neemt ze alle schwung die ze mee naar binnen had genomen weer naar buiten, de natgeregende plavuizen van de straat op. Ik kijk haar na, totdat het laatste stukje rood door de grote deuren wordt opgeslokt. Dan sta ook ik op, en ren haar schim achterna, maar als ik buitenkom is ze al verdwenen in de krioelende mensenmassa die als lemmings door de straten bewegen.

Zo veel mensen op de wereld en zo veel mensen alleen. Al deze mensen verlangen naar hetzelfde, denken hetzelfde, voelen hetzelfde. We lopen schampend langs elkaar heen. We botsen op straat of in de supermarkt tegen elkaar op. We staan zelfs tegen elkaar aan in de metro. En toch is er zo'n grote afstand die pas afbrokkelt bij het hebben van een gezamenlijke kennis, die als schamper excuus dient om elkaar de hand te schudden.

Ik sta stil voor een hoge winkelruit en kijk naar mijn eigen reflectie. Het is dezelfde reflectie die ik vanmorgen zag toen ik voor een moment mijn blik in het raam verloor. Of die me onlangs nog in Brazilië en Argentinië aankeek, met een grote pot maté naast me. Erger nog: het is dezelfde reflectie die ik zie als ik thuis, in Amsterdam, in de Jordaan, mijn laptop openklap en even, voor een seconde, naar buiten kijk. Alleen drink ik daar geen maté of Chinese-theeblaadjes maar koffie. Ik kijk en zie mezelf zitten. Mezelf. In Hongkong. In hipperdepip Hongkong. De reflectie is niet langer een moment van mascara en eyeliner en slank makende spijkerbroeken. Nee, deze reflectie is een ander soort spiegel. Meer een wegwijzer. Mezelf in de ogen kijkend komt mijn verdwaaldheid, die ik ergens in Zuid-Amerika verloren heb, als schuimende lava bovenborrelen. En dat met één beweging, één gedachte, één ogenblik. Het zijn gevaarlijke dingen, die ogenblikken. Onbetrouwbare, gevaarlijke dingen. Even knipperen met je ogen en alles ziet er anders uit. Het ogenblik word je ontnomen terwijl je erin staat. Daar kunnen de zakkenrollers in Napels nog wat van leren.

Voorbij de mascara en voorbij de wildgroeiende wenkbrauwen zie ik iets wat niks heet en me confronteert met het enige wat ik al die tijd al voor me uit schuif, de toekomst in. Tussen de miljoenen naamloze poppetjes om me heen, die allemaal een belangrijke bestemming lijken te hebben, voel ik me klein en alleen. Je kunt geen nieuw leven beginnen als het oude nog ligt te branden. En het oude brandt, alleen al in de naam van de persoon voor wie ik iedere dag opnieuw de deur van vandaag probeer te sluiten, in de hoop dat hij op een dag bij gisteren blijft steken. Ik sta nog steeds voor een lege ruimte, aan de voet van een nieuw begin, zonder planken, opstapjes of haakjes aan de muur. Leeg. En de enige persoon die de ruimte kan vullen ben ikzelf. Ik ben de timmerman, de schilder, de interieurarchitect en de overmoedige designer, want ik ben de enige bewoner van mijn eigen leven.

Ik besluit het erop te wagen.

Een agenda.

Iedereen om me heen heeft agenda's. Planners. Organizers. Zelfs Rolodexen, die uitpuilen van belangrijke visitekaartjes en adressen. Ik heb niets op zak, op een blanco schriftje na dat ik altijd bij me heb om een mogelijke aantekening die ik niet wil verliezen in te bewaren. Ik ben een schrijver en daarmee is alles gezegd. Bah.

Ben ik echt vertrokken?

Of doe ik maar alsof?

Op zoek naar een winkel die agenda's verkoopt, passeer ik iets wat me doet denken aan een van de speelhallen op de Nieuwendijk. Nieuwsgierig gemaakt door een paar gillende meisjes in witte kniekousen en Schots geruite plissérokjes die net niet over hun roze slipje heen komen, stap ik naar binnen. Overal om me heen staan meisjes zich mooi te maken voor enorme spiegels. Om de beurt poseren ze ongegeneerd maar toch wat zenuwachtig. Als ik een van hen met mijn ogen volg, begrijp ik waarom. Het is één groot fotoparadijs, met een hele hoop hokjes en kleurtjes om je eigen maffe foto's te maken. Twee jonge meisjes met glad zwart haar en een lange pony moeten giechelen als ik langs loop. Ik giechel terug. In belabberd Engels vragen ze me waar ik vandaan kom en of ik met hen achter het gordijntje op de foto wil. Ik probeer ze uit te leggen dat het een heel zure foto zou worden, aangezien ik vandaag niet zo lekker wakker ben geworden, maar hun Engels reikt niet verder dan *peace* en *hello*. We worden dan ook 'Hello' schreeuwend en met onze peace-vingers in de lucht vastgelegd. Lang leve de camera.

Ondanks het feit dat ze hartstikke dood is, zet ze nog steeds de toon. Chantal is in de mode, de blauwe vlinders vliegen me overal tegemoet: van hempies in de kledingrekken, cd-hoezen in de categorie hippe hotelmuziek, etalageversiering, pakpapier, zelfs museumposters, en nu weer op de agenda's op de afdeling Kantoorartikelen van de boekwinkel. Mijn favoriete vlinder volgt me overal mee naartoe. Of volg ik haar?

Ook deze afdeling Kantoorartikelen ligt vol met noodzakelijkheden die ik nog altijd niet als noodzakelijk beschouw. Ik kies voor een geblokte agenda – voorzien van Chantals keurmerk – en maar meteen voor eentje met een weekoverzicht zodat je goed kunt zien dat je de hele week niets te doen hebt. Met een dagoverzicht zou ik de dagen nog door elkaar halen. De bladzijdes lijken leeg, maar dat zijn ze niet. Onder het lege papier staan ze met doorzichtige viltstift volgeklad met vraagtekens en ze kijken me allemaal even doordringend aan.

Ik kijk nog een keer naar mijn lege agenda. Ik weet niet wat erger is; geen agenda nodig te hebben of een confronterend lege agenda op tafel te hebben liggen. Maar onder dit wisselende spel van vallen en opstaan ontdek ik langzaamaan een systeem, dat me overtuigt van de eenheid van het komen en gaan, van het leven en de dood, van een begin van een einde.

Die avond wil ik niet naar bed omdat de nacht alles erger maakt, alles vergroot wat in het daglicht nog te verdragen was. 's Ochtends wil ik ook niet wakker worden; ik wil me verbergen in mijn dromen, waarin alles zoveel simpeler lijkt dan in het echt. Uiteindelijk val ik in een diepe slaap.

*

Ik word wakker in Istanbul. Maar dat mag ik nog niet opschrijven, want dat kan ik op dit moment nog niet weten. Ik weet alleen dat ik op een zacht en wit kussen lig. Dat ik in Istanbul wakker word en niet in Hongkong is iets waar een heel stevig onderbouwde combinatie van omstandigheden aan vooraf moet zijn gegaan, daar ben ik van overtuigd, maar ik kan er even niet opkomen.

Istanbul?

Ik herinner het me.

Nee, ik herinner me niets.

Of toch wel? Een masker in zwart en wit. Nog een. En daar nog een. Er doemen allerlei maskers in zwart en wit op in mijn geheugen. Ook zie ik paarse, rode en gele jurkjes. Grote donkere ogen met wimpers zo vol en lang dat je er een deken van zou kunnen maken. Een oude waarzegger met drie witte konijntjes. Zwetende mannen. Zwarte gladde haren. Dat zal wel voor het landen geweest zijn.

Ik kijk onder de lakens. Op mijn sandaaltjes na heb ik alles nog aan. Dat wil zeggen, een zwart setje van een slipje, bh'tje en glitterjurkje vol met pailletjes, die nu met z'n allen los in een heel groot bed liggen.

Groot bed?

Ik kijk opzij.

Niemand.

Interessant.

Ik klim een stukje overeind, knip het licht aan en bekijk de ruimte om me heen. Hotel. Ik herken niets. Niets van de geur van het opgeklopte donzen kussen in mijn rug, van de aanraking van de frisse lakens zoals ze met honderden uit een machine komen of van het geluid van de kamermeisjes op de gang.

Ik zie opgevouwen handdoekjes, een *goodnight*-pakketje

met waarschijnlijk iets zoets erin, een breedbeeldtelevisie, een leunsofa – zo een die past bij een Engelse vrouw uit de jaren twintig met golvend haar en gekleed in een lang satijnen gewaad en zijden handschoenen tot over haar ellebogen –, zachte slofjes op de vloer, in keurige symmetrie, zodat ik er bij het uit bed rollen meteen in glijd. En dat alles in een overgestyled interieur van wittig beige met her en der wat goudtinten. Er bekruipt me een heel eng gevoel. Ik ben in een heel chic en duur hotel, dat is iets wat zeker is, en er ligt niemand naast me.

Ik sta op en beweeg me naar het raam, vanwaar ik over een groot deel van de stad kan kijken. Dit is het officiële moment waarop ik erachter kom dat ik in Istanbul ben. Ik kijk namelijk uit op twee grote moskeeën, die als enorme spinnen tussen de huizen opdoemen. De Blauwe Moskee en de Hagia Sofya, lees ik in de folder die op de vensterbank ligt. De stad kringelt als een slang om de Bosporus, waardoor sommige delen van de stad achter bebouwde heuvels verscholen blijven en andere delen vanachter een bocht tevoorschijn komen.

Ik lees verder in de folder dat naast de moskeeën die recht voor me liggen, het paleis ligt van de laatste sultan, die in 1919 van zijn troon is verstoten: het Topkapi. En dat de Blauwe Moskee is vernoemd naar zijn tegelversiering. En dat het een van de eerste Ottomaanse moskeeën is die zonder twijfel architectonische wonderen genoemd mogen worden, niet alleen vanwege de mooie versiering, maar ook vanwege het afvoersysteem van lucht.

Dan sla ik de folder dicht en kijk verder de stad over. Onder het hotel ligt een groot paleis. Er wordt druk in cirkels gemarcheerd door een dozijn poppetjes in mooi gesneden uniform. Links van me ligt de brug waar het Boekenweekgeschenk van 2007, geschreven door Geert Mak, een eerbetoon aan was en dat Timo me ooit gegeven heeft.

Istanbul.

Ik kijk naar de moskee, de marcherende poppetjes, de brug, de Bosporus, en in alles wat ik zie, zie ik een stukje Timo. Timo hield van deze stad. Heel erg. Hij kon me er uren over vertellen, als we samen opgekruld bij het haardvuur zaten. Dat waren mijn dierbaarste momenten met hem, 's avonds lang doorkletsend bij het vuur, of de hele dag in badjas op een zondagmiddag, die samen met hem pas echt invulling kreeg. Zou ik Timo nu dan echt hebben losgelaten? Door zonder hem wakker te worden in Istanbul?

Ik ken Istanbul uit zijn verhalen over de Turken die zo'n indruk op hem hadden gemaakt, en uit zijn schetsboekje waarin hij de dromen die de stad bij hem opwekte tekende met rood kleurpotlood. En nu ben ik hier, uitkijkend over dezelfde rivier met dezelfde boten en dezelfde door mist vervaagde bergen in de verte, en begrijp precies waarom.

Het uitzicht is magisch. Zo magisch dat de minuten onopgemerkt voorbijgalopperen, zonder dat ik me een centimeter beweeg.

Er wordt geklopt.

'Sophie?'

O jee. Wie is dat? Zal ik antwoorden? Meerdere stemmen schieten me te hulp.

Wat heb ik nou aan mijn klapschaats hangen?

Neehee!

Welke schoenmaat?

Wie ben jij?

Mijn hart zegt dat het verstandiger is om niet te antwoorden en stokstijf te blijven staan om mezelf vooral niet te verraden. Om de een of andere reden wil ik helemaal niet weten wat er aan de andere kant van de deur beweegt en onder de kier door zulke monsterlijke schaduwen op mijn – zijn? – vloerbedekking tekent.

'Sophie?'

Het geluid van een kaartje dat in de deur wordt gestoken. Klik.

Kut.

De deur gaat open en neemt een strook licht van de gang mee.

Mijn mond gaat open, maar er komt slechts een fluisterend geluid uit. 'Hi.'

Teruggeworpen in het verliezende schaakspel, heb ik zojuist mijn koningin onthoofd met de toevallige zet waarmee ik een van mijn pionnen gisteravond heb verschoven. Er zijn niet veel meer stappen nodig om vast te komen te staan. Drie om precies te zijn. Ik zei al, een paar extra lessen zouden geen kwaad kunnen.

Als mijn leven zou lezen als een roman, zou de lezer nu in het spannendste stukje van het verhaal verzonken zijn, op het punt van waaraf het voor mij alleen nog maar bergopwaarts kan gaan – dat is voor de lezer bergafwaarts. Je kunt een moment niet herschrijven, net zoals je het niet kunt herbeleven. In dit geval sta ik voor dat laatste ook niet zo erg te popelen. Er staat iemand voor me zonder dat ik een idee heb waarom. Of hoe. En waarom. En hoe. Ik kijk en ik kijk en ik kijk, en vraag me af met welke pion ik deze misstap heb gezet. Als ik hem te pakken krijg, gooi ik hem evengoed nog achter het lot van de koningin aan. Stelletje sukkels.

'Je ziet een beetje bleek.'

Ik mompel wat, waarvan ik het wat niet kan spellen.

'Sophie, voel je je wel goed?'

Goed? In de zin van blij? Lacherig? Niet misselijk? Tevreden met de beslissingen die ik neem? Misschien zelfs een beetje trots op de stappen die ik zet? Blij? Lacherig?

NEE. Misschien dat laatste een beetje, niet van blijdschap maar van de enorme grap waarvan mijn leven vandaag het slachtoffer is.

De hotelkamer is er een van het soort waarin je vijf minuten lang heen en weer kunt bewegen zonder hetzelfde stukje tapijt of hetzelfde stukje lucht aan te raken. Maar desondanks is de ruimte te benauwd om vrij te ademen, en te klein om de magnetische uitwerking van zijn lichaam te vermijden. Ik vraag me opnieuw af of ik deze dure grap niet zelf bedacht heb. Het zou namelijk gevaarlijk goed in mijn profiel van impulsieve stommiteiten passen. Er is die keer van de Japanse koers verkeerd berekenen en een paar nullen armer thuiskomen dan gepland. Met twee maanden crackers als gevolg. Uit die misstap komt trouwens ook het zwarte paillettenjurkje voort, waarvan nu meer versierseltjes op de lakens liggen dan er aan mijn lijf plakken. Er is die keer van het zusje van je nieuwe vriendje belachelijk maken, om er een minuut later achter te komen dat ze aanstaande familie is. Er is die keer van zo bijzonder willen zijn dat je niet met een Albert Heijn tas thuiskomt – De Dirk-tas was net in de mode – maar met een rhabdomyosarcoom. En nu is er die ongelukkige keer van wakker worden in Istanbul en gevaarlijk dicht bij schaakmat komen te staan.

Opnieuw hoor ik mezelf mompelen, het gemurmel doet me denken aan een schoen die over een deurmat veegt.

Er veegt een schoen over een deurmat. Ik sta vastgenageld op een bruin vlak van het bord. Een combinatie van superlijm en spijkers houdt me op het beslissende strijdpunt. Mijn koningin ligt in een verdrietig hoopje naast me, haar hoofd is inmiddels van het bord gerold. Aan mijn rechterzijde word ik beschermd door een loper, iets daarvoor een paard, en schuin voor me naar links een van die domme pionnen.

Ik wil niet dat hij naar me toe loopt. Ik heb zo lang vastgehouden aan hem, aan het kleine beetje hoop dat ik niet heb kunnen afstaan. Maar ik ben al te ver. Het beetje hoop dat me vanuit de deuropening toelacht heeft me alweer in zijn greep en laat me de herinneringen aan het vernietigende gevaar vergeten. Ik wil dat hij naar me toe loopt.

Hij loopt naar me toe. Langzaam komt hij steeds een stukje dichterbij. Ik hoor nu niet alleen het geluid van zijn voeten over het zachte hoteltapijt, maar ook het schuiven van zijn mouwen langs zijn zij, en het vullen en legen van zijn longen.

Hij staat voor me en knijpt met zijn handen in mijn bovenarmen, zachtjes, en trekt me dan voorzichtig maar zonder tegenspraak naar zich toe. Hij staat nu zo dichtbij dat hij de verontwaardiging die in trage tranen over mijn gezicht biggelt moet voelen druppen.

We staan nu helemaal tegen elkaar aan. Mijn schouders raken zijn borstkas, zijn kruis raakt mijn navel, mijn heupen raken zijn dijen, zijn knieën raken het begin van mijn bovenbenen. Weer gaat de tijd aan me voorbij. Althans, dat denk ik te horen aan mijn hartslag, die langzaam overgaat in een ritmische harmonie.

'Ik heb je gemist.'

Het *mmwwhhh* gaat over in een 'Ik ook'.

'Wat doe je hier toch?'

'Weg zijn.'

Die lach.

'En, ben je dat?' Zijn knalblauwe ogen boren recht door me heen.

Ik weet niet wat ik moet antwoorden. Als ik nee zeg, ben ik bang zijn heerlijke omarming af te breken. Als ik ja zeg, ben ik bang door diezelfde armen later op de weg vermorzeld te worden. Ik besluit voor de tweede keer in dit korte gesprek om niets te zeggen. Zwijgen wordt enorm onderschat.

'Het was geweldig om je vannacht weer te zien.'

Vannacht? Het gebeurt wel eens dat ik een, twee, drie – oké, vier – glazen met lekkere muntblaadjes te veel drink, maar hele ontmoetingen wegdrinken is een cocktail die ik nog niet eerder gedronken heb. Vannacht? Er komen wat beelden van accordeons en andere dansgeluiden boven, maar geen Timo. Laat staan een vliegveld. En ik had alles nog aan toen ik wakker werd.

'Wat doe jij hier? En belangrijker nog: wat doe ik hier?'

Weer die lach, die recht door me heen snijdt. Alles trilt. Het doet me denken aan hoe ik alles wat niet perfect aan ons was perfect probeerde te maken met het spelen van de perfecte vriendin. Altijd even vrolijk en lichtvoetig. Altijd even begripvol en ruimdenkend. Zo een die ogenschijnlijk makkelijk de ene schotel na de andere schotel uit de oven tovert.

Ik verstopte het eenrichtingsverkeer van de relatie met een toneelspel van attenties voor twee. Ik zie mezelf nog zitten, verborgen in mijn onzekere ijverigheid achter de veiligheid van mijn voordeur, onder het stof bedolven kookboeken bestuderen in plaats van de voorpagina van de krant. Als ik nu denk aan de omvang van dat alles wat niet perfect was, valt de vlucht van 11.000 km me nog mee.

'Hoe...'

'Hoe je hier terecht bent gekomen? Laten we het er maar op houden dat het lot ons een handje geholpen heeft. En de waarzegger met zijn konijntjes een ander handje.'

'Konijntjes?'

'Ja. Heb je trek? Er staat een heerlijk ontbijt beneden.'

Het ontbijt duurt minstens zo lang als ons eerste ontbijt. Zo gaat dat, met eerste en laatste. Die hebben per definitie al iets van een superlatief, iets onoverwinbaars. De ontbijtzaal brengt me meteen terug naar die ene ontbijtzaal in Granada, de eerste dus. Inbox. Bericht openen.

Hou je van apen?

Bericht maken. Verzenden.

Alleen als ze heel en heel klein zijn.

Inbox. Bericht ontvangen.

Wil je zaterdag apen kijken?

Beantwoorden. Verzenden.

Kan niet. Zit in Spanje.

Inbox. Bericht openen.

Laat de apen daar nou net in de buurt zitten.

Ik lag op bed toen ik het laatste sms'je las. Mijn hele lijf begon te tintelen. Alsof zijn handen mijn lichaam al aan het strelen waren. Zaterdag. Het was pas woensdag. Wat duurden die dagen lang. En de nachten...

Die zaterdag keken we apen in Gibraltar. Of niet echt eigenlijk, we keken meer naar elkaar. Het was ruim een jaar geleden. En die zondag aan het ontbijt at ik zoals altijd iets met een gekookt ei. Het gekookte eitje had toen nog geen Heidelberg-achtige associaties. Het was gewoon een gekookt ei, dat je wat kunt opleuken met zout en tomaat. En het was vooral een ei dat ik me nog heel lang zou herinneren.

De ochtend was gevuld met tegenstellingen. Ze bleven maar verrassen. Ik voelde al mijn zenuwen prikkelen, maar was tegelijkertijd onverklaarbaar op mijn gemak. Ik was in slaap gevallen met een man die ik nog maar één keer de hand had geschud, maar ik had liggen dromen alsof hij daar altijd al had gelegen. Ik had me in de spiegel zorgvuldig mooi gemaakt voor de man die tegenover me in zijn koffie zat te roeren, maar tegelijkertijd wilde ik geen pukkel of wildgroeiende wenkbrauwhaar voor hem verbergen. Ik was tegelijkertijd onzeker en vol zelfvertrouwen.

Vandaag is het ook zondag en eet ik ook een ei, maar is er geen tegenstelling te bekennen. Behalve dan dat ik gisteren in Hongkong was en vandaag in de Europese helft van Istanbul. Als je er geweest bent en een beetje op de mensen hebt gelet, dan weet je waar ik het over heb. Hij maakt me weer even hard aan het lachen als vanouds als hij me herinnert aan die ene keer toen hij me vol trots met zijn armen in zijn zij en met een been op het bed aankeek, nadat hij niet een mug dood maar een gat in de muur had geslagen. Maar als het lachen ophoudt en de eieren op zijn, voel ik ook dezelfde narigheid als toen opborrelen. Ik voel me onzeker, kwetsbaar, angstig, niet knap genoeg, niet slim genoeg, niet vrouw genoeg voor de man die nu inmiddels in zijn tweede kopje koffie roert.

'Sophie, ik weet dat ik je veel pijn heb gedaan en ik snap ook waarom je bent vertrokken, maar ik wil je vragen om nog even op me te wachten.'

'Te wachten?'

'Ja. Ik voel dat ik al een stuk verder ben dan toen ik je ontmoette.'

'Verder?'

'Ik weet dat het veel gevraagd is, maar ik moet nog het een en ander opruimen.'

'Opruimen?'

'Ja.'

'Timo, bestaat er zoiets als op liefde wachten? Ik wacht al acht maanden. Waar moet het vandaan komen? Afrika? Nieuw-Zeeland? Duidelijk niet uit Istanbul. Ik ga niet terug naar die keuken in dat toneelstuk, Timo. Ik blijf hier. Ik bedoel dat ik alleen blijf rondzwerven.'

Zo bleven we nog een tijdlang zitten, over de stilte heen zuchtend, terwijl onze ogen elkaar niet los wilden laten. Het was het laatste en langste ontbijt ooit. Op het eerste na dan. Maar het eerste wint altijd.

Soms maak je een keuze die, als je hem op een ouderwetse weegschaal zou wegen, het linkergewicht op dezelfde hoogte zou brengen als het rechtergewicht. Dat een van de twee gewichten zwaarder is, maakt niet uit, het verschil is immers zo klein dat het toch niet te meten valt. Je kiest liever niet, kiezen is altijd een vorm van verliezen, ook al draai je het om in winst. Je kiest uit wat je op dat moment wordt toegefluisterd en wat je het beste lijkt. Dat kan links zijn. Dat kan rechts zijn. Dat kan verlies zijn. Dat kan winst zijn. Fiftyfifty. Dat je de pijn van die keuze altijd zult blijven voelen, omdat de nasleep niet op de weegschaal te meten viel, is iets wat je op een dag vanuit je grootmoederstoel vertelt aan je kleinkinderen, gegoten in een sprookje waarin prinsen prinsessen redden maar onderweg opgegeten worden door een laagvliegende draak.

Ik sta op. Timo blijft zitten. Als ik terugkom in de hotelkamer is de klank van de woorden die zich een paar uur eerder in alles wat in de kamer stond genesteld had, verdwenen. Er is niks meer over van onze adem die als een wolk in de lucht had gehangen, en er is niks meer wat me herinnert aan ons eerdere verlangen dat de kamer tot kort geleden zo gevuld had. Samen met de pailletjes op de vloer hebben de kamermeisjes alles weggepoetst. Ik val in slaap in een bed waarvan alle geheimen en intimiteiten al duizenden keren opgeslokt en schoongespoeld zijn door de reusachtige wasmachines van het hotel.

Ik droom die middag opnieuw dat ik bijna aan de overkant ben, als ik word meegetrokken door een zware stroming die het bijna onmogelijk maakt vooruit te komen. Ik zwem en ik zwem en ik zwem tegen de stroom op, maar ik kom geen meter verder. Ik zie de overkant al liggen. De aanraking van het beloofde land met de zee. Het zachte zand op de oevers. Het volle groen dat ligt te stralen onder een felle zon. Ik probeer me erdoorheen te vechten, maar hoe krachtiger ik me in de stroming werp, hoe meer die me doet twijfelen of ik de overkant wel wil halen. Iets in mij, iets wat alleen door de tijd gedempt kan worden, trekt me terug naar waar ik vandaan kom. Naar daar waar mijn hoop het grootst is.

Dan verslapt de greep van de stroming om mijn armen en benen en baan ik me een weg naar een rustiger stukje vaarwater. Het lukt. Ik zwem vooruit, steeds verder buiten het bereik van de stroming en steeds dichter in de schaduw van het land, die voor me op de golven van het water danst.

Als ik wakker word ziet de wereld er anders uit. Of misschien zie ik gewoon andere dingen, zoals me wel vaker gebeurt als mijn hoofd ergens vol van is en ik met een nieuwe blik de wereld in kijk. De wolken achter het raam hangen stil in de lucht, de vogels hangen als bevroren skeletten boven de bomen en de zon is een grote gele bal. Zonder strepen en zonder andere kleuren. Het is vanuit deze stilstand dat ik de natuurlijke en wonderlijke beweging kan aanwijzen zonder de behoefte te voelen daartegen te protesteren. Het wonder van constante verandering, van de passagiers uit mijn leven die in- en uitchecken. Van doen zonder waarom. Van de dingen zoals ze zijn. Het is oké.

Dan vliegt er een zwerm zwaluwen voorbij, die zich verzamelen in een van de hoge bomen beneden op het plein voor het hotel om aan hun trek naar het zuiden te beginnen. Het biologeert me, hun instinctieve kunsten om de zwerm steeds groter en groter te maken, totdat elke centimeter van de takken vol zit en ze in groepen van, wat zou het zijn, twee- of driehonderd vertrekken, achter elkaar de verte in.

Ik maak me klaar om dezelfde verte in te gaan. Alleen ligt er achter mijn horizon geen brandende zon te wachten, maar een middeleeuwse stad, Amsterdam geheten. De zwaluwen klappen hun vleugels in de richting van de haven, naar daar waar de boot naar Odessa vertrekt. Ik heb veel over de overtocht, die over veertig uur de trappen van Odessa zal bereiken, nagedacht, met de wens zelf een keer aan boord te gaan om over de Bosporus te varen. Maar ik ben naar het vertrekpunt toe gelopen, zonder achter in de rij passagiers aan te sluiten. In plaats daarvan sta ik langs de kade, de oude veerboot nakijkend en een uitgeslapen droom uitzwaaiend naar het land van gisteren. Het spel heeft een wending genomen, de partijen zijn gekeerd. Het is weer schaakmat, maar dit keer lach ik het laatst.

Al die tijd dat ik van huis ben, in alles wat ik doe, beweeg ik me in een straal van 100 meter om de dood heen. Ik heb haar nooit thuis achtergelaten. Ik heb haar samen met mijn kleren ingepakt. Ze is er altijd, want ze herinnert me altijd aan de tijd die me nog gegeven is. Ze laat me niet los. Of ik nou beslis om te gaan rennen of stil te gaan staan. De dood volgt mij, en ik volg haar. Of hem. Dat zal wel uniseks zijn.

Maar ik wil niet meer voor haar wegrennen. Ik wil dat ze me leidt, niet dat ze me opjaagt. Ik wil niet terug naar de tijd van vervelen en loze zondagen, maar ik wil wel terug naar de tijd van wachten op de bus zonder dat er miljoenen kleine miertjes aan mijn gedachten eten, allemaal met een eigen wil op hun rug. Ik wil mezelf weer vastankeren aan meer dan een wereldreis. Want een moment is niets waard als je geen verleden hebt om je geluk aan te toetsen of geen toekomst hebt om je dag op te richten. Een moment zonder gisteren of morgen is uiteindelijk niet meer dan keer op keer een herhaling van hetzelfde fragment in een andere setting.

Ik vertrek in de stilte van het donker, ergens tussen nacht en dag, wanneer de wereld samen met het openen van je ogen lijkt te ontwaken. De mensen op het vliegveld zijn met evenveel als de vliegtuigen die komen en gaan. Vanachter het vliegtuigraampje komt het eerste stukje Nederland in zicht, met de vierkante kavels die over het hele land uitgetekend zijn. De huizen worden steeds groter en de bomen steeds groener, het asfalt van Schiphol komt steeds dichterbij.

Plotseling hou ik op zachtjes en onopvallend te zijn, door een even plotselinge rilling die ik via mijn nek over mijn rug voel kruipen en die mijn lijf natmaakt en mijn wangen roze. Ik ben geland. Mijn race tegen de klok is ten einde.

Heaven must be missing an angel

TAVARES

Het stormt en regent in Amsterdam; de Land Rover staat er alleen en verzopen bij, maar nog altijd op zijn oude plaats. Met het starten van de motor en het ontgrendelen van de handrem stap ik terug in een wereld waarvan ik eigenlijk nooit de deur heb kunnen sluiten. Misschien dat ik er eerst naartoe moet om hem stevig in het slot te horen vallen.

248.354, lees ik op de display. In die kilometers ligt niet alleen de laatste rustplaats van Chantal verborgen, maar ook het vertrek van het schimmeneiland der herinneringen dat ik sindsdien bewoon, en waar ik me al zo lang op bevind dat ik me bijna thuis ga voelen tussen alles wat niet een hand heeft om aan te raken.

Het is druk op de weg. En donker. En ook nat. Ik zie niet veel meer dan mist, ruitenwissers en rode achterlichten. In alle vroegte vertrokken, omdat ik de slaap niet meer kon vatten, na de plaatselijke tornado die al om halfzes boven mijn dak leek te razen.

Weer naar Heidelberg dus, een naam die ik nooit meer als vakantiebestemming met gekleurde Hans en Grietjehuisjes en oude burchten en kastelen zal kunnen beschouwen. Met de herkenning van het asfalt waar ik overheen rijd, stroomt de bruutheid van vergankelijkheid een stukje verder mijn lijf in. Ik hou vast, op elke manier die me gegeven wordt. Een rood-wit geruit bloesje, ook al scheurt het van ellende uit elkaar. Een slordige krabbel in een boek. Een gescheurde foto. Een overhemd dat me voor de gek houdt, iedere keer als haar geur me tegemoetkomt en me eventjes doet vergeten dat alleen het overhemd er nog is. Als het bloesje zoekraakt, het boek uit is, en het overhemd per ongeluk gewassen is door mijn moeder, is het de herinnering die volstaat, maar ook herinneringen hebben net als foto's zo hun maniertje van vergelen.

Het oude zweeft als een onzichtbare mantel achter me aan, vastgeknoopt om mijn nek, over mijn schouders, de lucht in. Meerdere keren ben ik misleid door deze aanwezigheid in mijn leven. Als ik snel loop, zweeft hij dwars door de lucht achter me aan, en is het alsof hij mij niet kan bijhouden, maar dan kom ik altijd weer langs dat punt dat ik uit moet blazen, en dat zijn zachte fluweel zwaar langs mijn vermoeide lijf valt. Hij is er, altijd.

Het lukt me maar niet het touwtje los te knopen. Want daar, onder die mantel, kan ik doen alsof alles nog bij het oude is. Kan ik afreizen naar een plek waar de dood nog een mythe is en niet een wegwijzer in een moerassig landschap. Naar een plek waar ik niet door een foto toegelachen word, maar door Chantal zelf.

Die minuten duren nooit lang. Zelfs maar heel even. Ze zijn net zo vluchtig als het moment van de dag waarop de nacht in de ochtend opgaat, en je dromen worden overgenomen door je gedachten, wakker geschreeuwd door de wekker naast je bed. Ergens daar, tussen dag en nacht, licht en donker, slapen en wakker zijn, bestaat geen scheidslijn tussen echt en fantasie. Daar kun je al je dromen vastpakken, en alles wat echt geworden is deleten.

Soms is er stilte nodig om te horen wat we moeten horen

en te zien wat we moeten zien. Of misschien gewoonweg om dingen op te merken. Dingen als knoopjes die losgemaakt moeten worden omdat ze veel te strak zitten en de boel verstikken. Maar soms is alleen al het geluid van een zacht vallende mantel op de vloer te veel om aan te horen.

Ik rijd de grens over en het is plotseling droog. Zo was het vorig jaar ook. In Amsterdam kwam het met bakken uit de hemel, maar in Heidelberg scheen de zon. Buiten dan. Vandaag ook weer. Maar goed ook, ik heb de donkere, veilige glazen van mijn zonnebril hard nodig.

Er razen allerlei vreemde gedachten door mijn hoofd. Zo van: zou Chantal nog weten wie ik ben? En: zou ik wel gelegen komen? Inderdaad, heel vreemd. Een dooie zal er geen drukke agenda op na houden, lijkt me zo. Maar toch, ik kom op bezoek zonder iets van een aankondiging. Geen kaartje, geen telefoontje, niets.

Keulen. Stuttgart. Karlsruhe. Frankfurt. Mannheim. Heidelberg. Ik kom vroeger aan dan de vorige keer. Dat heeft vooral met het tijdstip van 05.30 uur te maken en met 8000 kilometer ervaring versus 0 kilometer ervaring. Het is niet avond en donker, maar middag en licht als ik de buitengemeente van Heidelberg bereik. Ik rijd dezelfde route naar hetzelfde hotelletje met dezelfde jongen in hetzelfde ribfluwelen giletje achter de toonbank. Als ik ook aan dezelfde tafel wil plaatsnemen, lijkt de maat vol, die is al bezet. Dan maar wat avontuurlijker. Als ik het hotel verlaat, bewegen mijn voeten naar links, in de richting die ze gewend zijn: Krankenhaus. Dat lijkt me vanavond wat overbodig. In plaats daarvan stap ik naar rechts, en kom ik via een andere wirwar van straatjes op de mij nog bekende hoofdstraat uit. Gelaten passeer ik het toeristenkantoor en zie ik op een kaart van het stadje dat de Friedhof vlak bij het slot ligt. Omdat het inmiddels wel donker is, stel ik mijn bezoek tot morgen uit.

De koffie smaakt nog hetzelfde. Net als de gekookte eieren. Vanaf het hotel is de begraafplaats een stukje lopen. Veertig minuten om precies te zijn. De plattegrond van het stadje volgend, word ik door dezelfde vragen bestookt als gisteravond, in de auto hiernaartoe.

Zou er een wegwijzer staan? Een index? Eentje die niet aangeeft waar het beddengoed en de parfum verkocht worden, maar waar Elvis Presley, Oscar Wilde en Chantal Smithuis rusten?

De weg slingert in meerdere bochten omhoog. Ik loop een paar minuten langs de Friedhof naar boven, de heuvel op, op weg naar een groot hek; de ingang die naar het kapelletje leidt waar we afscheid hebben genomen. Langzaamaan kom ik aan in het land van gisteren, met de bedoeling dan eindelijk mijn mantel los te knopen. Bij het eerste knoopje krijg ik bezoek van een geruststellende gedachte: gisteren heeft een voordeel op vandaag en al helemaal op morgen. Ze loopt niet weg. Nooit niet.

Bij de kapel aangekomen bedenk ik me dat ik eigenlijk helemaal niet weet waar ze is uitgestrooid, waardoor ik eerst naar links loop om vervolgens over hetzelfde pad weer helemaal naar rechts te lopen. Daar wordt het moeilijk; een splitsing. Een kruising zelfs. Even sta ik stil en volg met mijn ogen de lange boomstammen, de lucht in. Nog een vreemde gedachte: verkeersborden op de begraafplaats. Zo van eenrichtingsverkeer of doodlopende weg.

Ik sla weer het pad links van me in. Het pad eindigt niet bij een rivier. Ik bedoel, Siddhartha vindt zijn antwoorden bij een visserman aan een rivier. Of misschien moet ik schrijven: 'houdt op met zoeken bij een visserman aan een rivier'. Dat is toch hetzelfde. Daar moet hij lachen van geluk bij de rivier die hem terugbrengt naar de essentie van het leven. Het leven zelf. Maar dolend tussen de doden, blijk ik vergeten te zijn dat Siddhartha een roman is en dat de grafstenen om mij heen echt zijn. En dat er toch echt een verschil is tussen een roman en een biografie. Want in romans wordt de werkelijkheid altijd geromantiseerd. Ook onbewust, alleen al als je naar een manier zoekt van verwoorden. Eigenlijk zijn woorden slechts een betoverend aftreksel van wat er werkelijk staat. Het zijn de hoogtepunten van je gedachten. Het eiland der eilanden.

Mijn pad eindigt bij een gietijzeren hekje met een glanzende koperen knop. Achter het hek gaat het pad verder, met grote grijze tegels in het gras. Aan de voet van de laatste tegel staat een romaansachtig altaar, sober, maar beeldschoon. Ik begin te lachen. Veel te hard voor iemand die in haar eentje is. Ik voel me een compleet domme gans. Wat denk ik nou te vinden bij dit hek, deze bomen, die zo zorgeloos in het grasveldje hun bladeren schudden en schaduwen tekenen op het gras? Een aanwijzing? Een Golden Ticket? Een oplossing? Chantal? Niet dat ik echt op zoek ben naar een rivier, maar een wegwijzer van het een of ander zou toch fijn zijn. Met bordjes waarop RIVIER geschreven staat of ANTWOORD. Of beter nog: CHANTAL. Ik laat me tegen een van de hoge populieren op de grond zakken met mijn manuscript in de ene hand en een bloemetje in de andere. Lange tijd ben ik stil, maar dan begin ik te praten en schuif ik aan bij het tafelgesprek waar ik een jaar geleden aan begonnen ben maar dat ik nooit heb afgemaakt. Het is het gesprek tussen de liefde en de dood. Ze zitten tegenover elkaar aan tafel; x en y. De dood, als een onzichtbare gast op een lege stoel aan het hoofd, de stoel onaangeraakt en vervuld van herinneringen van het laatste diner.

Lieve Chantal,

Zoveel aan dit moment gedacht, dat ik ergens onderweg het onderscheid tussen biografie en fictie verloren ben. Maar hier sta ik dan. De werkelijkheid verandert altijd alles als zij met haar scherpe pen door het zachte handschrift van mijn fantasie krast. Eigenlijk heb ik buiten mijn fantasie om geen idee hoe dat gaat, praten met een dooie. Daar had ik nog wel wat langer over mogen nadenken. Ik weet ook niet zo goed wat ik je wil zeggen. En toch heb ik je zoveel te vertellen, dat ik hier wel een campingtent op kan zetten. Zo een met een gasstel en een regenscherm en een lullige voortent. Een die uit zichzelf openklapt als je hem uit de Blokker-doos haalt. Handig ben ik nog steeds niet.

Ik denk vaak aan je, iedere dag zelfs. Maar niet alleen aan jou, maar aan alles wat in de doos van gisteren verstopt is geraakt. Gek hoe die doos zoveel kan bepalen. Maar ik mis je niet gigantisch. Eigenlijk mis ik je vooral als er iets nieuws gebeurt. Dan pas voel ik dat jij voorbij bent, gewoon omdat je nooit deel zult zijn van het nieuwe. Het nieuwe zal nooit je wonderschone lach kennen.

Als ik eenmaal met Chantal aan het praten ben, verdwijnen mijn onzekerheden en voel ik me meer en meer op mijn gemak. Ik raak niet verrast door de helderheid waarmee ik mijn vragen en gedachten terugkrijg en ik verbaas me niet over de totale rust en zekerheid die me tegemoet waaien, ritselend, door de bladeren heen. Ik praat en ik praat en ik praat en met de woorden die ik uitspreek, verdwijnt een stukje spanning uit mijn lijf.

Ik vertel Chantal dat ze me inderdaad de titel heeft gegeven. Dat ik vertrouwd heb op mijn hart toen ik die ochtend uit een ver verleden wegreed uit een hotelkamer in Nancy. Dat ik als een bezetene heb gereisd, gerend en gevlucht, in de hoop mijn leven te rekken door het vol te stoppen met ontmoetingen en uitzichten. Met nieuwe herinneringen.

Maar er bestaat niet zoiets als het leven rekken. Wel zoiets als het leven berekenen. Het leven is net als wiskunde. Allebei verdomde onbegrijpelijk als je ietsje verder komt dan de stelling van Pythagoras. Maar terugblikkend verdomde voorspelbaar. Ik vertel haar dat ik een ontknoping verder ben in de formule die op liefde uitkomt, waarin de X-variabele voor leven staat en de Y-variabele voor dood.

Er ligt ook een wiskundige formule ten grondslag aan de uitkomst van gedachten. Met de ene herinnering waait de andere boven. Ze nemen exponentieel toe, totdat er geen ruimte meer over is en ze als een warme luchtstroom door het huis blijven waaien. Het leven beweegt er druk omheen, drukker dan ooit tevoren; want hoe meer de dode met zijn afwezigheid de kamer vult, hoe meer de liefde zich laat zien.

Daar, in die formule, ligt de essentie van ons bestaan verborgen. Langzaamaan worden we door de vergankelijkheid van tijd uitgekleed, totdat alle overhemden, sokken en vooroordelen op de grond liggen en de naakte essentie overblijft. Misschien kunnen we samen met de doden in die essentie blijven hangen, door in de dood een vriend te vinden, een onzichtbare hand die ons vooruittrekt en samenbrengt en leert dat het leven zelf de essentie is, niet onze ambities of onze persoonlijke strijd.

In dit gesprek, aan deze tafel vertelt de dood mij dat ik mijn wegwijzer al heb, dat híj mijn wegwijzer is, niet een vijand maar een vriend, met aanwijzingen en antwoorden. Als een onzichtbare bondgenoot die mij leert dat de liefde het enige is wat we niet onder zand en stenen kunnen begraven. Dat hij me over de hele wereld vanaf een afstandje in de gaten heeft gehouden, voor als ik echt niet meer weet waarin het zinnige verborgen ligt.

Dat klopt; op die momenten schrijf ik. Over Chantal. Voor Chantal. In een verhaal met een begin, een midden en een eind. Een verhaal met een *storyline*, een spanningsboog en vóóral een *rode draad.*

In hetzelfde gesprek wordt mij verteld dat het leven ophoudt bij de dood, maar dat daar, op die intersectie, het wonder begint. Het wonder van blauwe vlinders die je overal achtervolgen, op posters, stickers, modieuze T-shirts en zelfs simpelweg fladderend door de lucht. Het wonder van een gesprek voeren in de gezichtsloze lucht, maar met oren, ogen en lippen die meeluisteren, meekijken en terugpraten.

Misschien dat ik er daarom niet van schrik. Misschien dat ik met het aangaan van het gesprek alle grenzen aan mijn gedachten heb losgelaten. Want als de schaduwen van het samenspel van de bladeren en de zon me plotseling herinneren aan het silhouet van Chantal, blijf ik nog steeds praten en verliest 'vroeger' haar pijnlijke verbintenis met tijd.

'Een blauwe vlinder zegt gedag' staat er boven aan de eerste bladzijde van het manuscript dat ik openvouw. Het blad krult om op de beweging van de wind. Achter het eerste blad staat een naam. Chantal. Een lotgenoot. Een vriendin. Een dode.

Ik begin te lezen en stap terug in de film die ik een jaar geleden op pauze heb gezet. Nu hij weer aanstaat, is het alsof de pauze er nooit geweest is. Woord voor woord. Bladzijde voor bladzijde. Zoveel heb ik haar te vertellen. Hardop, alsof Chantal met me mee kan luisteren. Zij heeft me immers de opdracht gegeven.

27 maart 2007. Slechts een datum, maar ook zoveel meer dan dat. Die dag reed ik weg van huis. De opeenvolging van pijnlijke herinneringen ging te snel om van me af te schudden. Zelfs niet voor een dag, een minuut of een moment. Ik reed naar Spanje, maar algauw bleek Spanje niet groot en ver genoeg. De kilometers gingen hard, bijna net zo hard als mijn gedachten. Mijn hoofd stond bol van de woorden, de spiegels vol van de vrachtwagens, maar de weg voor mij was leeg. Blank. En vooral: vrij.

240.638, las ik op de display. Slechts de laatste 638 kilometers waren van mij. Ik reed weg van Amsterdam, van alles wat mijn leven beheerste en bepaalde, op weg naar een nieuwe, lege dag, die, in gedachten, alleen ingevuld kon worden in Spanje. Maar helaas kun je eenzaamheid niet vullen, daar ben ik inmiddels wel achter. Het was de eenzaamheid die mij vulde..

...

.. Stel je voor. Stilte, slechts het zachte geluid van de wind door de bladeren. Een bloem, een grote witte roos, verder niets. Een vlinder, lichtblauw, dansend tussen de bloem en de lucht, de lucht en de bloem, en weer vind ik het vreemd dat een dag zo lang kan duren, en het leven zo kort. Bye bye, my butterfly. Fly.

En terwijl ik vertel, vergeet ik dat ze dat natuurlijk allemaal al moet weten, met haar helikopterview. En dat ze ook moet weten dat ze mij het vertrouwen heeft gegeven dat nodig was om het op te schrijven. Om alles op te schrijven. Toch blijf ik lezen, omdat het contact tussen de woorden op mijn lippen en het grasveldje dat aan mijn voeten ligt me goeddoet.

En terwijl ik vergeet en opgezogen raak in de woorden die mij vanaf het papier aanstaren, valt er een warme deken over me heen die me meeneemt naar een donker holletje, naar een plek waar gisteren niet bestaat.

Dit is maar een velletje papier. Met daarop de afdruk van mijn dansende en zoekende vingers. Die vingers zoeken troost, maar dansen ook rond van geluk in dat wat leven heet. Shakespeare had gelijk. Ik ga naar huis. Dag mooie vlinder, ik fladder naar je toe.

Epiloog

4 maart 2008. Het is dan echt de laatste dag dat ik een hand aan mijn boek kan leggen. Het schijnt normaal te zijn dat een schrijver onzeker wordt over alles wat hij of zij geschreven heeft, tegen het einde aan. Ook niet zo gek. Je gedachten worden vereeuwigd, hoewel gedachten even vluchtig zijn als het leven zelf.

Dat ik na mijn debuut, *Meisje met negen pruiken*, door zou gaan met schrijven was mij een jaar geleden nog helemaal niet duidelijk. Schrijven is voor mij niet begonnen op een zolderkamer of in een leeg strandhuis, waar de verhalen je vanuit opgestapelde dozen tegemoetkruipen. Of vanaf het strand aanwaaien. Het is begonnen in een leegte, die ik probeerde op te vullen. Dat lukte met pen en papier en later met een laptop en een bureau. Met die leegte is het nog altijd verbonden. Zoals ik al geschreven heb, is het nog altijd moeilijk voor mij om ver vooruit te kijken, om me zelfs aan een studie te verbinden. En je moet toch wat om een mooie invulling aan je dag te geven. Het leven is voor mij een wonderlijk spel geworden, waarin ik de mooie dingen die me worden toegeworpen meeneem op de golf die leven heet. Zo ook dit boek. Ik heb niet al te veel nagedacht of het schrijverschap me bevalt. Het vele alleen-zijn, het vele denken, de onzekerheid en vooral: de vrijheid. Het past me vandaag de dag gewoon.

Het was wel even wennen, een verhaal op te schrijven waarvan het begin en het einde al uitgedacht is. Dat is toch even anders. Het is dan ook een ratjetoe geworden van biografie en fictie, in tegenstelling tot *Meisje met negen pruiken*, geschreven in een tijd waarin ik aan alles om me heen vasthield, gewoon zoals het was. Dat heeft zo kunnen zijn omdat ik, de schrijfster, het personage was van mijn eigen wereld. Alle andere personen die in die wereld voorkomen, hebben mij destijds de ruimte gegeven om even eerlijk over hen te schrijven als over mezelf, iets waarvoor ik ze allemaal nog een extra keertje wil bedanken.

Toen Chantal mij vroeg of ik over haar door wilde schrijven, zei ik meteen ja. Ik wilde alles doen wat ik nog voor haar kon betekenen. Dat ze me daarbij ook een stukje structuur aanreikte in de tijd die ik vervolgens tegemoet ben gegaan, heb ik me pas veel later gerealiseerd, toen ik mijn leven om mijn boek heen ben gaan leven.

Het sterkt me dat ik al een aantal passages van wat uiteindelijk *Een blauwe vlinder zegt gedag* is geworden aan haar heb kunnen voorlezen, want schrijven over een dooie is niet makkelijk. Zijzelf, haar zus Kim en haar moeder hebben me het vertrouwen gegeven om deze kant van haar verhaal, deze kant van de persoon die ze was, op te schrijven. En daarom heb ik ervoor gekozen een roman om haar verhaal heen te schrijven. Weliswaar een roman die heel dicht in de buurt van mijn eigen leven komt. De veranderingen in het leven van het meisje met negen pruiken waren met mijn laatste chemobehandeling nog lang niet afgelopen. Sommige begonnen pas net. Dat moment in mijn leven, en in het leven in het algemeen, hebben me gefascineerd om er een zoektocht omheen te schrijven.

De Sophie uit het boek is een gefictionaliseerde Sophie. Een mengeling van echte gevoelens en gebeurtenissen op het vrije podium van een schrijver. Natuurlijk heb ik een verandering van naam overwogen, maar dat voelde onnatuurlijk naar Chantal toe. En Chantal ligt straks in de winkels, met een sticker van vijftien euro erop, misschien zelfs zestien vijfennegentig; de sticker die gaat bepalen hoe zij herinnerd wordt. Dank. Je. Wel. Lieve. Chan. Ik. Mis. Je. Soms. Kun. Je. Niet. Af. En. Toe. Terugkomen. Uitroepteken. Gewoon. Even. Of. Misschien. Voor. Altijd.

Dankjewel

Jur, voor dat je nog altijd op jouw manier bestaat. Om me heen waaiend over het lege strand van Texel.

Mijn angst wegnemend als het opborrelt. Stralend,

in de lachende ogen van Ray. Warm, in een denkbeeldige omhelzing. Je bent er, altijd. Toch mis ik je, altijd.

Maar misschien is iemand missen
minder erg dan niemand missen.

Ik kan niet wachten je op een dag terug te zien.

En dankjewel, Zus, voor de glinster in die schitterende ogen van je. Wat ben jij een groot cadeau. Dankjewel, mam, voor je altijd dansende haren als je je hoofd naar me toe draait, en je me je tijdloze glimlach schenkt. Geheimpje: ik heb laatst ook rode lippenstift gekocht, om een beetje op jou te lijken. Dankjewel, pap, voor het vocht in je ooghoek, wat mij altijd herinnert aan jouw grenzeloze liefde voor mij en mijn grenzeloze liefde voor jou. Dankjewel, oma, voor de oma die je bent. Mijn liefde. Mijn voorbeeld.

Dankjewel, Dokter L, dat de afspraken steeds minder werden en het vertrouwen steeds groter.

Dankjewel, Jan, voor dat je er simpelweg altijd bent, even trouw als de strepen op je pak. En me altijd aan het lachen weet te maken, niet alleen op de goede momenten, maar vooral ook als ik het nodig heb. Om maar iets te noemen. Ook mijn reservebankpasje verloren in de jungle van Buenos Aires. Samen met een abonnement op het kerkhof. Mijn laptop verzopen met rode wijn. En bovenal voor je stiekeme, kleine maar zo gewenste gebaren aan de wereld, zoals rozen gewikkeld in peso's. Dankjewel, Rob, voor je trouwe vriendschap en liefde, die ik overal waar ik kom met me meeneem om een verdwaalde traan op het strand van Uruguay weg te kunnen vegen.

Dankjewel, Annabel, voor je vriendschap zonder eind. Voor je altijd bloeiende orchidee. Voor al onze koffies, die een deel van mij zijn geworden. Dankjewel Jaap, voor je altijd romantische blik op het leven. Dankjewel, Inge, voor de inspiratie die je altijd bij je hebt. Dankjewel, Lian, voor alles wat je bent. Je ontwapenende, open blik. Je ideeën. Je familie. Je grappen. Je liefde. Alles. Dankjewel, Walter, voor dat je altijd dichtbij bent en nog altijd zoveel meer dan een buurman, maar gelukkig ook nog steeds mijn buurman bent. Dankjewel, Fidessa, voor het aanraken van zoveel van mijn gedachten. En dankjewel, Kees, voor het aanwakkeren van die gedachten. Dankjewel, Ray en Blanca, voor het mooi maken van het feit dat het leven altijd verandert. En voor de zeldzame vriendschap die we gevonden hebben. Dankjewel, Job, voor je enthousiasme, je talent en je fijne gezelschap. Dankjewel, Maud, voor je kaplaarzen, je lieve e-mails en je verhalen die me geholpen hebben dit verhaal te schrijven. Vielen dank, Jannis, für deinen supergeilen Traumbaum. Dankjewel, Debbie en Catherine, voor jullie verhalen. Dankjewel, Familie, voor de familie die we samen zijn. Dankjewel, Land Rover, voor je uithoudingsvermogen met deze vrouw achter het stuur.

En bovenal, dankjewel, Chantal, dat je met je fladderende vleugels van de dood een wegwijzer hebt gemaakt, die mij de weg naar het leven heeft gewezen.